Nous remercions le ministère du Patrimoine canadien,
la SODEC et le Conseil des Arts du Canada
de l'aide accordée à notre programme de publication
ainsi que le gouvernement du Québec
– Programme de crédit d'impôt
pour l'édition de livres
– Gestion SODEC.

Patrimoine canadien   Canadian Heritage

Conseil des Arts du Canada

Canada Council for the Arts

Nous reconnaissons l'aide financière
du gouvernement du Canada
par l'entremise du Programme d'aide au développement
de l'industrie de l'édition (PADIÉ) pour ce projet.

Illustration de la couverture
et illustrations intérieures :
Claude Thivierge

Couverture :
Ariane Baril

Édition électronique :
Infographie DN

Dépôt légal : 2e trimestre 2007
Bibliothèque nationale du Canada
Bibliothèque nationale du Québec

1234567890 IML 0987

ISBN 978-2-89633-053-9
11275

Lori-Lune et la course des Voltrons

DE LA MÊME AUTEURE AUX ÉDITIONS PIERRE TISSEYRE

Collection Sésame/Série Gaspar

Mes parents sont des monstres, 1997.
Grand-père est un ogre, 1998.
Grand-mère est une sorcière, 2000.
Mes cousins sont des lutins, 2002.
Mon père est un vampire, 2003.
Ma tante est une fée, 2004.
Mon chien est invisible, 2006.

Collection Papillon

Le temple englouti, 1990.
Le moulin hanté, 1990.
Le fantôme du tatami, 1991.
Le retour du loup-garou, 1993.
Vent de panique, 1997.
Rude journée pour Robin, 2001.
Robin et la vallée Perdue, 2002.
Lori-Lune et le secret de Polichinelle, 2007.
Lori-Lune et l'ordre des Dragons, 2007.

Collection Conquêtes

Enfants de la Rébellion, 1989.
Gudrid, la voyageuse, 1991.
Meurtre à distance, 1993.
Une voix troublante, 1996.
« Le cobaye », dans le collectif de nouvelles de l'AEQJ *Peurs sauvages*, 1998.

Collection Safari

Le secret de Snorri, le Viking, 2001.

Collection Faubourg St-Rock

L'envers de la vie, 1991.
Le cœur à l'envers, 1992.
La vie au Max, 1993.
C'est permis de rêver, 1994.
Les rendez-vous manqués, 1995.
Des mots et des poussières, 1997.
Ma prison de chair, 1999.
La clef dans la porte, en collaboration, 2000.

Adultes

Mortellement vôtre, 1995.
Œil pour œil, 1997.
Le ruban pourpre, 2003.

Lori-Lune et la course des Voltrons

roman

Susanne Julien

ÉDITIONS
PIERRE TISSEYRE

9300, boul. Henri-Bourassa Ouest, bureau 220
Saint-Laurent (Québec) H4S 1L5
Téléphone : 514-335-0777 – Télécopieur : 514-335-6723
Courriel : info@edtisseyre.ca

Catalogage avant publication de Bibliothèque et Archives Canada

Julien, Susanne

Lori-Lune et la course des Voltrons

(Collection Papillon ; 140)
Pour les jeunes de 9 à 12 ans.

ISBN 978-2-89633-053-9

I. Thivierge, Claude II. Titre III. Collection :
Collection Papillon (Éditions Pierre Tisseyre) ; 139.

PS8569.U477L672 2007 jC843'.54 C2007-940387-5
PS9569.U477L672 2007

1

Grand champion à vie

En entrant dans la grande salle du Collège supérieur interstellaire, Lori-Lune se sentit un peu étourdie par le chahut qui y régnait. Elle n'habitait sur la planète Brimatie que depuis quelques mois et avait encore de la difficulté à s'habituer à cette nouvelle vie. Après avoir passé douze années sur Terre en compagnie de ses deux grands-mères sans jamais soupçonner qu'un tel monde puisse exister, elle devait maintenant tout apprendre de cet univers extraterrestre.

Debout près de la porte, Lori-Lune cherchait des yeux son ami Akryl. Elle n'apercevait que des Voltains aux longs bras maigres et aux grands yeux noirs ; des Etamins de très petite taille et au front marqué de plusieurs plis ; des Holocks à la peau recouverte d'écailles ; des Kiribatiens ressemblant à s'y méprendre aux Terriens et des Kénoniens à la peau bleue, aux cheveux lilas et aux yeux de chat comme Lori-Lune. Akryl n'appartenait à aucun de ces mondes, il venait de la planète Deneb. Il avait l'air d'un ange avec ses ailes blanches sur le dos, ses longs cheveux roux ondulés, ses yeux verts et ses oreilles pointues.

Lori-Lune cachait mal sa déception. Son ami lui avait pourtant bien donné rendez-vous ici. Qu'est-ce qui pouvait le retenir ? Et pourquoi y avait-il autant de remue-ménage autour d'elle, ce midi ? La jeune fille sentait parmi les étudiants une fébrilité qui n'était pas habituelle. Même chez les élèves les plus âgés, qui affectent normalement une attitude blasée et nonchalante, on percevait une agitation qui laissait présager un évènement hors du commun.

Youcha, une jeune Voltaine, passa près de Lori-Lune en criant :

— Viens vite ! Il ne faut pas manquer ça !

— Mais qu'est-ce qui se passe ? Où cours-tu ainsi ? lui demanda Lori-Lune en tentant de la retenir.

— Les Voltrons sont arrivés, répondit Youcha sans s'arrêter.

La Voltaine disparut dans la foule des étudiants qui se massaient au fond de la grande salle, près de l'écran d'affichage électronique.

— Les Voltrons, marmonna Lori-Lune, qu'est-ce que ça peut bien être, encore ?

Depuis son arrivée au collège, il ne se passait pas une journée sans que Lori-Lune se heurte à une technologie ou à une coutume totalement nouvelle pour elle. Même la nourriture qu'elle mangeait ne ressemblait en rien à celle de la Terre. Chaque repas constituait une surprise. Quand elle vit madame Klauk, l'enseignante de vol spatial, monter sur une estrade et exiger le silence, Lori-Lune se douta bien que les fameux Voltrons ne devaient pas être un délicieux dessert ou une irrésistible gâterie.

— Voici le moment tant attendu par plusieurs d'entre vous ! annonça madame Klauk. Nous avons reçu nos quinze Voltrons.

Des cris de joie et des applaudissements accueillirent cette information, comme si les étudiants espéraient cette nouvelle depuis longtemps. La curiosité de Lori-Lune en fut accrue. Madame Klauk imposa le silence d'un geste de la main et poursuivit :

— Les modèles de cette année ont été améliorés. Leur puissance et leur stabilité ont été augmentées de vingt pour cent grâce au travail de maître Éonas, notre bien-aimé principal, qui a dessiné lui-même les changements à apporter aux engins de l'an dernier.

Des murmures enjoués et exaltés parcoururent les élèves qui semblaient beaucoup apprécier ces modifications. Madame Klauk, souriante, hocha la tête.

— En effet, le spectacle n'en sera que plus intéressant pour le public, tout en demeurant dans les normes de sécurité pour les participants. Nous recherchons donc quinze audacieux volontaires, prêts à chevaucher nos Voltrons pour la course qui se tiendra dans deux mois, le jour anniversaire du premier vol interplanétaire : à l'Olliwel.

Des élèves levèrent leur main, désireux de prendre part à la compétition. Madame Klauk les ignora et continua ses explications :

— Comme vous le savez certainement, les trois finalistes de l'an dernier sont automatiquement inscrits. Pour choisir les autres concurrents, nous effectuerons un entraînement qui nous permettra de sélectionner ceux et celles qui nous semblent les meilleurs. Les élèves qui désirent participer à ce camp d'entraînement doivent s'inscrire sur le fichier électronique de la course des Voltrons en utilisant un des quatre terminaux qui se trouvent dans cette salle. Bonne chance à tous les candidats !

Les dernières paroles de l'enseignante se perdirent dans le brouhaha. Plusieurs étudiants y allaient de leurs commentaires, évaluant à l'avance les chances des futurs concurrents. D'autres se précipitaient sur les ordinateurs afin d'écrire leur nom sur la liste des postulants.

— Ça ne te dit rien de participer? demanda une voix chaude et douce derrière Lori-Lune.

— Ah! te voilà, dit-elle en se retournant vers Akryl qu'elle n'avait pas entendu arriver. Je ne vois pas en quoi ça pourrait m'intéresser. Les Voltrons, je ne connais pas ça.

Akryl eut l'air surpris.

— Pourtant, j'étais certain que...

Il se tut, indécis.

— Certain de quoi? le relança Lori-Lune.

— Avec le père que tu as, ça me paraissait évident que tu serais emballée par la course. Je suis même étonné que tu ne saches pas ce qu'est un Voltron.

— Qu'est-ce que mon père a à voir là-dedans?

Akryl l'observa un instant, puis il lui fit son plus beau sourire.

— Viens, je vais te montrer! suggéra-t-il.

Il la conduisit dans le vaste hall d'entrée. Sur les murs, de nombreux portraits montraient des personnes ayant marqué l'histoire du collège au fil des temps. Il guida Lori-Lune jusqu'à un tableau d'honneur électronique. Dans le coin droit, en bas, apparaissait un clavier inséré à même l'écran. Akryl appuya sur différentes touches lui permettant de choisir le tableau d'honneur désiré. Il sélectionna celui des champions des courses de Voltrons depuis les vingt dernières années. Les photographies des gagnants s'affichèrent sur le mur.

Lori-Lune en resta bouche bée. Son père, Zakishi Taïko, avait remporté six années de suite la première place de la course des Voltrons. Il avait même été nommé grand champion à vie pour cette réussite exceptionnelle, car il était le seul étudiant à avoir réussi cet exploit.

— Habituellement, les plus jeunes élèves n'ont aucune chance contre les anciens, commenta Akryl. Ils ne participent que pour acquérir de l'expérience. Mais ton père a gagné dès sa première année au collège et il n'a jamais perdu par la suite. C'était le meilleur pilote qu'on ait jamais vu !

Mal à l'aise, Lori-Lune se mordit la lèvre. Comment pouvait-elle expliquer qu'elle n'en savait rien ? L'identité de son père ne lui avait été révélée que peu de temps avant son entrée au collège. Elle ne savait presque rien de lui, mis à part qu'il possédait un gigantesque vaisseau spatial commercial et qu'il se promenait un peu partout dans l'Univers pour acheter et vendre diverses marchandises.

La naissance et la vie de Lori-Lune étaient entourées de mystères. Elle se considérait elle-même comme une énigme ambulante. N'était-elle pas issue de l'union d'une Kiribatienne et d'un Kénonien ? C'était un phénomène exceptionnel étant donné que ces deux peuples ne sont pas compatibles et ne peuvent concevoir d'enfants ensemble. Selon une vieille légende, seul l'Être élu pourrait naître d'un tel amour. Élu dans quel but, Lori-Lune l'ignorait encore. Par contre, elle avait bien vite compris que sa vie pouvait être menacée si ce secret était dévoilé au grand jour. Elle se méfiait donc de tout le monde et ne parlait à personne de ses origines. Sa mère l'avait prévenue que si on lui posait des questions à ce sujet, elle devait s'en tenir à une histoire créée de toutes pièces pour éloigner les soupçons.

— C'est que, vois-tu, commença-t-elle, gênée et honteuse de mentir à son ami, j'ai passé toute mon enfance sur

Rucbalah, loin de mon père. Il m'avait placée là, chez une nourrice, après la mort de ma mère. Il ne pouvait pas venir me voir très souvent, alors... je sais très peu de choses de la vie de mon père. Il n'est pas du genre à se vanter de ses exploits. Pour ce qui est des Voltrons, sur Rucbalah, il n'y en avait pas. De toute façon, il n'y a pas grand-chose sur cette planète perdue.

— Je comprends. Ce ne devait pas être très plaisant comme endroit pour vivre. On dit qu'il y fait très froid et que les trois quarts du temps le sol est recouvert de neige.

— Ne t'en fais pas pour moi ! C'était très amusant de jouer dans la neige. Bon, est-ce qu'il y a moyen d'aller voir à quoi ressemblent ces merveilleux Voltrons, modèle amélioré ?

— Bien sûr ! Ils sont dans le hangar près du terrain d'éducation physique.

— Je te suis, dit Lori-Lune.

Elle jeta un dernier regard au portrait de Zakishi qui tenait un trophée dans ses mains. L'adolescente ressentit un pincement au cœur. Comment son père pourrait-il être fier d'elle si elle ne se montrait pas à la hauteur de sa renommée? Malheureusement, il était hors de question qu'elle participe à la course des Voltrons, puisqu'elle n'avait jamais piloté de sa vie. Elle refoula ses pensées pessimistes et rejoignit Akryl en courant.

Ils sortirent et traversèrent le parc qui bordait le collège. Entraînés par le flot des étudiants qui, comme eux, désiraient voir les nouveaux Voltrons, ils se rendirent jusqu'à la piste de course. Ils s'installèrent dans les estrades et n'eurent pas à attendre très longtemps. Maître Éonas, madame Klauk et trois autres enseignants sortirent du hangar, installés à bord de ces étranges engins volants. De loin, Lori-Lune trouvait que cela ressemblait à un drôle de panier, comme une nacelle de montgolfière. Il était juste assez grand pour que seul le conducteur puisse se tenir à l'intérieur. Il n'y avait aucune roue pour rouler ni aucune aile ou ballon gonflé pour s'envoler. Pourtant, les Voltrons fendaient l'air sans jamais toucher le sol. Lorsqu'ils passèrent près de l'endroit où la jeune fille était assise, elle remarqua que les poignées destinées à contrôler les différentes manœuvres étaient fixées directement au tableau de bord.

Le principal et les enseignants firent quelques tours de piste, puis ils réintégrèrent le hangar. Le spectacle étant terminé, les élèves quittèrent lentement les estrades afin de retourner en classe.

— Alors, qu'est-ce que tu en dis? demanda Akryl.

— Ça a l'air amusant, répondit Lori-Lune. À bien y penser, ce n'est peut-être pas si difficile que ça à piloter.

— Dans ce cas, nous nous inscrivons tous les deux! lança Akryl, sur un ton enjoué. Avec tes antécédents familiaux, tu es certaine d'être acceptée au camp d'entraînement. De mon côté, j'ai plusieurs heures d'expérience de vol dans la navette de mes parents. Allez, dis oui! Je participe uniquement si tu le fais toi aussi.

Lori-Lune ne réfléchit qu'un instant avant d'accepter. Après tout, elle ne s'inscrivait que pour le camp d'entraînement. Ça lui permettrait de prendre un peu d'expérience en pilotage. Il fallait qu'elle essaie cela au moins une fois dans sa vie.

2

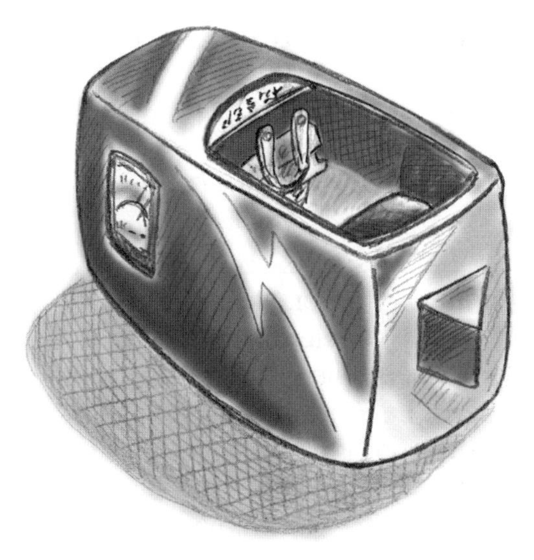

La prochaine épreuve

Cette nuit-là, Lori-Lune ne parvenait pas à s'endormir. Elle se tournait et se retournait dans son lit, en vain. De guerre lasse, elle se leva sans bruit et sortit du dortoir qu'elle partageait avec neuf de ses camarades de classe. Elle ne prit avec elle que son étui contenant divers articles scolaires, dont un lecteur électronique et des jetons de cristal servant à mémoriser toutes sortes d'informations, et l'attacha autour de sa taille.

Sans faire de bruit, la jeune fille suivit un long corridor qui la mena directement à la grande salle. Comme celle-ci était sombre et silencieuse, à cette heure tardive ! La seule source de lumière provenait du Bilbor. Ce long tube de verre posé sur un socle de pierres trônait au centre de cette pièce depuis des centaines d'années. Le fondateur du Collège supérieur interstellaire, Shogol, avait été le douzième Être élu de toute l'histoire de la Brimatie. En réalité, il n'y avait qu'un seul Élu, mais il se réincarnait environ tous les deux cents ans. Shogol était donc la douzième réincarnation de cet être suprême. Lors de la construction du collège, il avait créé le Bilbor, un appareil destiné à aider l'Élu à choisir les compagnons qui allaient lui prêter main forte dans sa lourde tâche de faire évoluer les gens vers un monde meilleur.

Depuis son entrée au collège, Lori-Lune avait constaté que chaque fois qu'elle se tenait près du Bilbor, il réagissait à sa présence. Cette nuit, il ne fit pas exception à la règle. Dans le tube de verre, des anneaux métalliques de la même largeur que le tube flottaient, immobiles, espacés de plusieurs centimètres les uns au-dessus des autres. Sous le dernier d'entre eux, un prisme captait la lumière rouge qui provenait de la base et la transformait en une douce lueur verte. Quand la jeune fille s'approcha du Bilbor, le prisme se mit à tournoyer doucement. La lumière qu'il projetait changea de couleur, passant du vert au bleu, au violet, au rouge, au orangé, au jaune et ainsi de suite.

Lori-Lune respira profondément. Elle savait qu'elle n'y échapperait pas. Depuis plusieurs jours, elle en avait reculé l'échéance, repoussant ainsi le début de la prochaine épreuve. Car c'était aussi à cela que servait le Bilbor : imposer des tests au nouvel Être élu afin de vérifier sa valeur, son courage et sa détermination à affronter le mal. La jeune fille sortit de son étui un petit jeton de cristal mauve zébré de vert. Elle ignorait encore qui avait glissé ce minuscule disque parmi ses affaires le jour de la rentrée scolaire, mais elle savait que cet objet avait un lien direct avec l'Élue. Chaque fois qu'elle l'introduisait dans son lecteur électronique, elle pouvait y lire un message énigmatique la guidant vers une mission qu'elle seule pouvait accomplir. Le message ne disparaissait que lorsqu'elle avait réussi.

Cette fois, la phrase suivante apparut sur son écran :

« QUE LE BRUIT DES MOTEURS
NE COUVRE PAS LA PLAINTE DU FAIBLE,
QUE L'ORGUEIL DU VAINQUEUR
NE MASQUE PAS LA VÉRITÉ,
CHERCHE ENCORE ET ENCORE,
CAR POUR RÉGLER CE PROBLÈME
TA QUÊTE EST LOIN D'ÊTRE TERMINÉE ! »

Lori-Lune soupira :

— Qu'est-ce que ce charabia peut bien vouloir dire ? Ça ne pourrait pas être écrit de manière un peu plus compréhensible ? Je ne sais même pas de quel problème il s'agit. Ah, ça ! Pour chercher, je vais chercher, mais je ne sais pas quoi !

Néanmoins, elle pouvait facilement déduire que le bruit des moteurs faisait référence à la course des Voltrons ; et qu'il y ait un vainqueur ne faisait aucun doute. Par contre, elle ignorait totalement quelle était l'identité du faible qui devait se plaindre. Si elle comprenait bien le message, elle devait se montrer attentive, car quelqu'un aurait bientôt besoin de son aide. Aurait-elle la capacité et la force nécessaires pour secourir cette personne ? Et surtout saurait-elle la reconnaître le moment venu ?

Et si elle demandait au Bilbor de lui permettre d'en savoir davantage ? Par le passé, cet étrange appareil lui avait donné accès à des visions issues des temps anciens. Peut-être obtiendrait-elle aujourd'hui des images sur les évènements futurs ? Cependant, l'opération n'était pas toujours sans danger. La dernière fois, Lori-Lune était restée inconsciente pendant plus de vingt-quatre heures.

Tout doucement, elle posa une main sur le tube de verre et chuchota :

— Bilbor, mon ami, je dois accomplir une nouvelle mission. S'il te plaît, indique-moi la bonne voie ! Guide-moi dans mes gestes ! Éclaire mon esprit de tes connaissances sans borne ! Dis-moi qui a besoin de mon aide !

Le prisme cessa de tournoyer et vint poser une de ses pointes contre le verre, vis-à-vis la paume de la jeune fille. Lori-Lune ferma les yeux et bascula la tête vers l'arrière. Tel un film au ralenti, elle vit apparaître mentalement une scène étrange. Une porte s'ouvrait dans un coin de la grande salle et laissait entrer plusieurs personnes revêtues d'une longue cape bleu marine, le capuchon rabattu sur le visage afin de le dissimuler. Ils avançaient massés les uns contre les autres. Lorsqu'ils furent rendus au milieu de la salle, ils se distancèrent et formèrent un cercle. C'est alors que Lori-Lune put se rendre compte qu'au milieu d'eux se tenait un enfant aux grands yeux noirs. Il portait une tunique blanche qui lui allait du cou jusqu'aux pieds.

L'une des grandes personnes tendit quelque chose à l'enfant. Il s'agissait d'une petite boule dorée dont émanait une fumée violacée. L'enfant approcha la boule de son visage et se mit à respirer profondément la fumée. L'instant suivant, il se transforma en un oiseau blanc et s'envola. Il voltigeait autour de la pièce, cherchant désespérément une sortie. Il semblait apeuré. Et pour cause ! Un dragon, surgi de nulle part, fonçait droit sur lui, battant l'air de ses grandes ailes noires. Le petit oiseau se sauvait, changeant brusquement de direction chaque fois que la gueule du dragon allait s'abattre sur lui. Puis, réagissant à un sifflement, l'oiseau s'engouffra dans une cage. Le dragon, ayant perdu sa proie, abandonna la poursuite. Les adultes quittèrent la grande salle, emportant la cage à moitié cachée sous la cape de l'un d'eux. Le dragon s'installa confortablement dans un coin et se mit à lire un gros volume. Il releva la tête, regarda Lori-Lune et cracha du feu.

La jeune fille émergea de sa vision en sursautant.

« Encore un dragon ! pensa-t-elle. Je n'en finirai donc jamais avec eux ! »

Elle avait appris récemment que, lors de la construction du collège, Shogol avait fait appel à des êtres ressemblant à des dragons. En fait, ils étaient les habitants de la planète Deneb. Au fil des siècles, leurs traits physiques s'étaient modifiés. Aujourd'hui, ils avaient tous la même apparence que son ami Akryl ou que le professeur Mirfak, les deux seuls Denebiens à fréquenter le collège.

Si tous deux se montraient amicaux et pacifiques, Lori-Lune n'aurait pu jurer qu'il en avait été ainsi de tous les dragons de l'époque de Shogol. Celui qu'elle venait d'entrevoir en songe lui avait paru très agressif.

— Bilbor, murmura-t-elle, pourquoi m'as-tu montré cela ? Quel lien dois-je faire entre cet oiseau blanc et ma quête ? Est-ce lui l'être faible que j'ai pour mission de protéger ? Sous son allure d'enfant, il ne me rappelle personne. Je ne connais aucun élève qui lui ressemble. Ah, vraiment, toute cette histoire est trop compliquée pour moi !

Découragée, elle s'apprêtait à quitter la grande salle quand elle entendit un bruit, comme le déclic d'un mécanisme ouvrant une porte. Elle s'accroupit vivement derrière le Bilbor. Sur le mur du fond, le tableau électronique servant à afficher des messages à l'intention des étudiants pivota sur lui-même. Lori-Lune connaissait déjà ce passage secret et savait qu'il communiquait avec un escalier en colimaçon conduisant jusqu'au dernier étage du collège. L'adolescente ne put reconnaître la personne qui se glissa par cette ouverture, car elle portait

un large manteau la couvrant de la tête aux pieds. Sans hésiter, l'intrus se dirigea vers le grand hall d'entrée.

Lori-Lune demeura cachée un moment, puis, à pas de loup, elle suivit les traces de l'inconnu. Lorsqu'elle entra dans le hall, il n'y avait plus personne. Pourtant, n'ayant que quelques secondes d'avance sur elle, il n'aurait pas eu le temps de traverser cette vaste pièce et de sortir à l'extérieur. Néanmoins, pour bien s'en assurer, Lori-Lune se rendit à la fenêtre et scruta les jardins. Aucune ombre ne s'y promenait. Il se trouvait donc encore à l'intérieur. Mis à part la porte de la grande salle, le hall d'entrée communiquait avec deux corridors. Le premier menait vers les salles de cours et le second vers le secrétariat et les bureaux des enseignants. Elle jeta un bref coup d'œil dans les deux couloirs, épiant le moindre bruit suspect. Aucun son ne pouvait lui indiquer par où l'inconnu s'était enfui.

Lori-Lune revint donc dans la grande salle. Si elle ne savait où cet intrigant personnage était allé, en revanche, elle se doutait fort bien de l'endroit d'où il venait. D'un pas assuré, elle se rendit devant le tableau d'affichage. Au collège, comme d'ailleurs partout sur la planète Brimatie, les portes s'ouvraient grâce à un système de reconnaissance optique. À l'aide d'un programmeur spécial, on entrait l'empreinte des mains de ceux et celles qui pouvaient avoir accès à certaines portes. Ensuite, pour actionner une porte, il suffisait de poser sa main sur une bande magnétique placée à la droite de l'ouverture. Cela évitait que des indésirables entrent n'importe où. Ainsi, les étudiants avaient un accès limité dans le collège, les empêchant de pénétrer dans des locaux qui ne leur étaient pas destinés. Pourtant, depuis son entrée à l'école, Lori-Lune avait constaté qu'aucune porte, ni aucun passage secret, ne lui résistait.

Elle posa donc sa main à droite du tableau d'affichage et celui-ci pivota sur ses gonds. Devant elle, l'escalier en colimaçon semblait l'attendre. Elle entreprit la longue ascension jusqu'au huitième étage. En atteignant le dernier palier, elle s'arrêta un moment pour reprendre son souffle avant d'entrer dans la vieille bibliothèque. Parmi la poussière et les toiles d'araignées, des milliers de livres anciens couvraient les rayons sur les murs. Tous étaient écrits dans une langue que pratiquement personne ne connaissait aujourd'hui : le langage des dragons de Deneb. Tous les secrets de Shogol et des dragons y étaient consignés, mais qui pouvait se vanter de parvenir à les déchiffrer ? Les grands-mères de Lori-Lune réussissaient, avec difficulté, à décoder à peine quelques mots. Si seulement la jeune fille pouvait trouver quelqu'un pour lui enseigner cette langue, elle serait en mesure d'apprendre ce qui était nécessaire à son rôle d'Élue.

Le regard de Lori-Lune se fixa sur la dernière tablette en bas, à sa droite. Entre les livres, elle voyait un large espace complètement propre, comme si un gros volume avait été déposé à cet endroit pendant très longtemps et qu'on l'avait retiré récemment. Qui avait bien pu oser s'en emparer et dans quel but ? Aucun indice ne permettait à Lori-Lune d'en connaître le titre et ainsi d'émettre des hypothèses sur l'utilisation que le voleur désirait en faire.

Elle fit rapidement le tour de la bibliothèque afin de vérifier que rien d'autre ne manquait. Quand elle eut la certitude que tout était à sa place, elle redescendit. Elle était fatiguée de se creuser la cervelle et de chercher des réponses à toutes ses questions. Elle se devait de prendre du repos, car demain débuterait le camp d'entraînement pour la course.

3

Premier jour d'entraînement

Étant donné leur nombre élevé, les candidats à la course des Voltrons avaient été divisés en douze groupes d'une quinzaine de jeunes chacun. Chaque groupe était convoqué à un moment différent au cours de la journée. Celui de Lori-Lune se présenta devant madame Klauk au début de l'après-midi. Massés au bord de la piste de course, les étudiants écoutaient attentivement les instructions de leur enseignante.

— Cette première rencontre a pour but de vérifier les aptitudes de chacun d'entre vous. Cette compétition n'est pas un jeu pour petits enfants. Pour des raisons de sécurité évidentes, nous ne pourrons permettre la participation que de ceux et celles qui démontreront une habileté exceptionnelle à piloter un Voltron. Dès aujourd'hui, près de la moitié d'entre vous seront éliminés! Il en sera ainsi durant les prochaines semaines, jusqu'à ce qu'il ne reste plus que les quinze pilotes qui prendront part à la course.

Elle se tut et examina les jeunes devant elle. Elle donnait l'impression d'évaluer à l'avance les capacités de chacun d'entre eux. Lorsque son regard se posa sur Lori-Lune, l'adolescente se sentit aussitôt comparée avec son père. Convaincue de ne pas être à la hauteur de la renommée de Zakishi, la jeune fille baissa la tête, mal à l'aise. Akryl, qui se tenait à côté d'elle, lui chuchota:

— Leçon numéro un : garder la tête haute pour mieux voir les obstacles, sinon tu risques de t'écrabouiller le nez !

Lori-Lune sourit, amusée par cette remarque. Après tout, ses chances de participer à la course n'étaient ni pires ni meilleures que celles de tous les jeunes de son âge. Dans son groupe, il n'y avait que des élèves de son niveau scolaire, c'est-à-dire de la classe préparatoire. Et si jamais elle était écartée, il n'y avait aucune honte à cela. Devait-elle obligatoirement se montrer aussi douée que son père ?

— Le premier test que vous devez réussir est fort simple, reprit madame Klauk, mais il est essentiel à la poursuite de l'entraînement. Comme vous pouvez le constater, nous avons retiré le tableau de commande de chaque Voltron. Ils sont encore reliés entre eux, mais à distance.

Les nacelles, numérotées de un à quinze, étaient placées en ordre sur la ligne de départ. Derrière chacune d'elles, le tableau de commande correspondant avait été déposé par terre. Madame Klauk poursuivit son explication.

— Le Voltron obéit à la pensée de son pilote. Ce qui signifie que vous devez contrôler votre esprit pour bien maîtriser votre engin. Le seul bouton qui se trouve sur le tableau de commande permet d'allumer ou d'éteindre le moteur. Dès que l'appareil est en marche et que vous tenez les poignées entre vos mains, votre cerveau se trouve en contact direct avec l'appareil et vous êtes ainsi responsables de tous ses mouvements. Cela exige de votre part beaucoup de concentration. Toute votre attention est nécessaire pour bien piloter. Et c'est pour cela, mademoiselle Youcha, que vous devez cesser de placoter comme vous le faites en ce moment !

La jeune Voltaine, prise en défaut, bégaya :

— Euh... oui... je... je ne l'ai pas fait exprès !

— Je sais, répliqua l'enseignante. À vous regarder aller, on a souvent l'impression que votre langue est plus grande que votre cervelle... Enfin, passons. Que chacun se place derrière le Voltron qui lui a été assigné ! Ne touchez pas tout de suite au tableau de commande !

Lori-Lune se rendit au Voltron numéro 8. Akryl s'installa derrière le numéro 11 et Youcha avait hérité du numéro 12. Malgré l'interdiction de madame Klauk, un jeune Kénonien, impatient de commencer l'entraînement, manipulait déjà son tableau de commande. Son Voltron s'éleva subitement dans les airs, fit deux pirouettes et piqua du nez avant d'aller s'écraser dans les estrades. Pris de panique, l'étudiant lâcha aussitôt le tableau de commande.

Madame Klauk fixa l'adolescent d'un œil courroucé.

— Jeune homme, vous venez de démontrer de manière flagrante trois points essentiels à la réussite de cet exercice. Premièrement, nous avons séparé les commandes du Voltron pour éviter des blessures lors de votre premier entraînement. Si vous aviez été à bord de la nacelle, vous seriez bon pour l'infirmerie. Deuxièmement, la manipulation de cet engin exige beaucoup de prudence et de réflexion. Avant de démarrer, vous devez avoir en tête la trajectoire exacte que vous désirez suivre. Et troisièmement, monsieur, vous êtes incapable d'obéir à un ordre. Vous voilà donc éliminé. Allez, retournez tout de suite dans votre classe ! Je n'accepte que ceux et celles qui se conforment à mes directives.

L'air piteux, le garçon s'éloigna tandis que l'enseignante ramassa son tableau de commande à l'aide duquel elle récupéra la nacelle. Elle se tourna ensuite vers les autres élèves.

— Je vous demanderais maintenant de prendre votre tableau, mais de ne pas le mettre en marche. Vous remarquerez qu'il est constitué de deux poignées. Lorsque vous les serrez entre vos mains, le contact s'établit entre vous et le Voltron. Entre ces poignées se trouve un écran où s'affichent différentes informations comme votre vitesse, votre position dans la course ou encore la distance qui vous sépare du sol. Sur cet écran, vous pouvez aussi voir ce qui se passe soit devant vous, soit derrière. Cela vous permet de savoir où sont situés les autres concurrents.

— Ça fait beaucoup de choses à regarder en même temps ! marmonna Youcha, l'air découragé.

— En effet, reconnut madame Klauk, et c'est la raison d'être de ce camp d'entraînement. Les participants à la course auront à maîtriser toutes les facettes de cet appareil s'ils veulent gagner, mais cela ne s'apprend pas en un jour. Voici le premier exercice : lorsque vous aurez démarré votre engin, pensez fortement à le soulever jusqu'à ce que le fond de la nacelle se retrouve au niveau de vos yeux. Lorsqu'il sera à cette hauteur, pensez à le garder immobile, comptez jusqu'à vingt, puis faites-le atterrir. Allez-y !

Intimidée, Lori-Lune prit doucement son appareil. Avant de l'actionner, elle ferma les yeux et répéta mentalement les consignes de l'enseignante. Lorsqu'elle se sentit prête, elle mit le moteur en marche. Son Voltron émit un léger bourdonnement. Les poignées vibraient dans ses mains. Le regard fixé sur la nacelle, elle lui donna l'ordre de s'élever lentement. L'appareil obéit un peu plus vite qu'elle ne l'avait souhaité. Elle serra les dents et retint son souffle. Le Voltron se figea dans les airs, mais un peu trop haut. Elle lui demanda alors de redescendre à la hauteur désirée, ce que la nacelle fit avec précision. Lori-Lune respira de nouveau normalement tout en comptant jusqu'à vingt. Ensuite, elle contrôla de son mieux l'atterrissage de son engin et éteignit son tableau de commande.

Elle s'était tellement concentrée sur sa tâche qu'elle n'avait accordé aucune attention au travail de ses camarades. Elle fut étonnée de voir à quels résultats certains d'entre eux étaient parvenus. Trois nacelles s'étaient embouties les unes contre les autres et gisaient au milieu de la piste. Deux Voltrons avaient pris le champ. Il y avait même un appareil perché sur le toit du hangar. Tous les autres étaient revenus plus ou moins près de leur position de départ debout ou renversés contre le sol.

Madame Klauk soupira tout en secouant la tête. Elle aida quelques élèves à récupérer leur nacelle et fit ensuite recommencer la manœuvre à plusieurs reprises. Plus Lori-Lune s'exerçait, plus elle avait l'impression que son Voltron lui obéissait au doigt et à l'œil. Et plus elle se sentait en harmonie avec son appareil, plus elle avait envie d'en faire davantage. Elle fut ravie lorsque l'enseignante décrivit le deuxième exercice.

— Cette fois, quand vous aurez soulevé votre nacelle, je veux que vous la déplaciez jusqu'au bout de la piste. Là, vous la ferez pivoter et revenir à son point de départ. Mais je vous préviens, vous devez rester en droite ligne. Défense de bifurquer vers la gauche ou vers la droite.

Lori-Lune se concentra et son Voltron décolla. Elle n'éprouva aucune difficulté à le guider vers l'autre extrémité de la piste. Son appareil avançait rapidement. Ce n'était pas le cas de ceux de ses camarades. Afin de conserver leur trajectoire, ils ralentissaient ou se déplaçaient par saccades. Quand la nacelle de Lori-Lune prit le chemin du retour, la jeune fille évita de justesse un accrochage en la faisant passer par-dessus un Voltron qui lui bloquait le passage.

Prenant soudainement conscience de ne pas être seule sur la piste, Lori-Lune ralentit considérablement l'allure de son bolide. Elle ne se contentait plus de fixer les yeux sur son engin, mais elle tentait aussi d'évaluer la trajectoire des autres Voltrons qu'elle croisait en sens inverse. Elle parvint ainsi à esquiver deux adversaires et à terminer l'exercice sans causer aucun accident. On ne pouvait pas en dire autant de ses camarades. Plusieurs nacelles gisaient de guingois sur la piste de course et aux alentours.

Elle fut heureuse de constater que son ami Akryl figurait parmi les trois participants qui, comme elle, avaient réussi à ramener leur Voltron à la ligne de départ.

Madame Klauk félicita ceux et celles qui s'en étaient tirés sans encombre et remercia les autres élèves d'avoir participé à cette première journée d'entraînement.

— Vous avez tous fait de gros efforts, j'en suis certaine. Malheureusement, comme je vous l'ai déjà expliqué, je ne peux tous vous garder. Deux mois d'entraînement, c'est très peu pour apprendre à manier un Voltron, c'est pourquoi je me dois de choisir uniquement ceux qui ont démontré une habileté naturelle, je dirais même exceptionnelle. J'encourage néanmoins ceux qui ne participeront pas cette année à se réinscrire l'an prochain. Voici donc la liste des étudiants qui reviendront demain pour une deuxième journée d'évaluation : Akryl, Lori-Lune, Gamir et Youcha. Vous pouvez maintenant retourner en classe.

— Yééé ! s'exclama Youcha avec exubérance. Je vais faire la course ! Je vais faire la course !

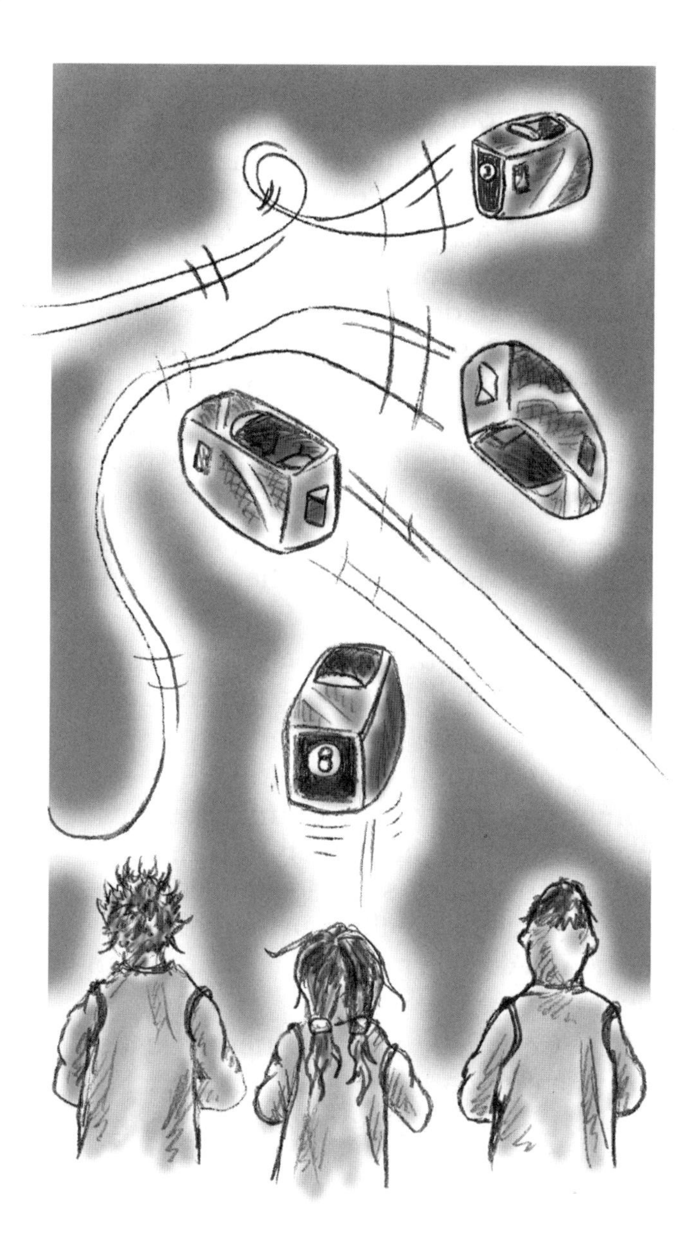

L'enseignante la remit à l'ordre.

— Votre présence ici, demain, ne signifie pas automatiquement que vous participerez à la course, jeune demoiselle. Vous devez encore faire vos preuves. Je vous suggère donc de vous calmer et de retourner sagement en classe pour le cours d'histoire qui débutera dans quelques minutes. N'oubliez pas que cette course ne doit pas vous distraire de vos études !

— Oui, madame. Je comprends ça, madame. Mais je suis tellement contente…

— Eh bien, tâchez de contrôler votre joie ! Allez, j'ai un autre groupe qui m'attend.

Youcha, ainsi que la plupart de ses camarades, partit en courant. Quelques-uns, déçus par leur résultat, traînaient de la patte, mais se dirigeaient tout de même vers le pavillon principal. Lori-Lune et Akryl fermaient la marche en bavardant à voix basse.

— Ce qu'elle peut m'énerver, celle-là ! marmonna le jeune Denebien.

— De qui parles-tu ? De madame Klauk ?

— Mais non, c'est Youcha qui m'agace. As-tu vu comment elle s'est comportée durant le dernier exercice ?

— J'avoue que je n'avais pas vraiment le temps de regarder ce qu'elle faisait. J'étais déjà assez occupée avec la conduite de mon Voltron !

— Eh bien, Youcha n'a pas cessé de se mettre en travers de mon chemin ! grogna Akryl, mécontent. J'ai failli la frapper à plusieurs reprises. Si elle est encore en liste, c'est parce que chaque fois j'ai réussi à l'éviter. Cette fille est un véritable danger sur une piste de course.

— Crois-tu qu'elle l'a fait exprès ? Ce n'est pas facile de contrôler un Voltron, surtout la première fois, ajouta Lori-Lune en tentant de calmer son ami.

Akryl soupira et haussa les épaules.

— Évidemment, admit-il, c'est assez difficile. Je ne pense pas qu'elle ait voulu me nuire, mais elle n'a pas sa place dans la course.

— Si c'est vrai, ne t'inquiète pas. Elle sera éliminée dès demain. Madame Klauk ne laissera pas Youcha continuer si elle en est incapable. Pour l'instant, nous ferions mieux de nous dépêcher, sinon nous serons en retard pour le cours d'histoire.

En accélérant le pas, les deux amis arrivèrent juste à temps pour le début du cours. Leur professeur, monsieur Mirfak, prit les présences et constata qu'une seule élève était absente.

— Youcha ? Est-ce que l'un d'entre vous sait où se trouve Youcha ?

Personne ne répondit à la question de l'enseignant. Lori-Lune fronça les sourcils. La jeune Voltaine aurait dû arriver en classe bien avant elle, puisqu'elle courait en avant du groupe. Monsieur Mirfak nota l'absence dans son agenda électronique et commença le cours. Lori-Lune regarda ses camarades et constata qu'à part elle-même, nul ne semblait se préoccuper de savoir où était passée Youcha.

4

La colère du dragon

Lori-Lune dormait si bien que les cris qui la réveillèrent la mirent de mauvaise humeur. Qui pouvait bien oser la tirer de son sommeil de manière aussi cavalière ? Il lui fallut quelques secondes pour s'apercevoir qu'il s'agissait de Youcha. La jeune Voltaine, aux prises avec un vilain cauchemar, s'agitait et parlait à voix haute.

— Non ! Non ! Je ne veux pas. Ce n'est pas ma faute. Je ne le ferai plus...

Pour éviter que Youcha ne dérange les autres occupantes du dortoir, Lori-Lune se leva et alla la secouer par l'épaule.

— Youcha, chuchota-t-elle, ce n'est qu'un mauvais rêve. Chut ! Cesse de crier !

Sa camarade sursauta et ouvrit des yeux apeurés.

— Ne me faites pas de mal ! Je vous en prie...

— Chut ! répéta Lori-Lune. N'aie pas peur, ce n'est que moi ! Calme-toi, tu vas réveiller tout le monde !

Youcha cligna des yeux et regarda autour d'elle. Elle poussa un soupir de soulagement et se détendit enfin.

— Ah ! Tu parles d'un rêve horrible ! Sans le faire exprès, j'avais commis une gaffe irréparable et tout le monde m'en voulait à mort.

— Vraiment ? Quelle sorte de bêtise peut bien mériter un tel châtiment ?

— Je... Oh, non ! Ce n'était rien d'important. C'était juste un rêve, après tout.

Youcha repoussa ses couvertures, sortit de son lit et se dirigea vers la porte.

— Où vas-tu ? demanda Lori-Lune.

— À la salle de bains. Tu peux te rendormir, je reviens tout de suite.

Lori-Lune réintégra son lit, bâilla, s'étira, mais ne se rendormit point. De savoir qu'elle participait encore au camp après cinq jours d'entraînement l'excitait tellement qu'elle éprouvait de la difficulté à trouver le sommeil. De tous les élèves de la classe préparatoire, il n'en restait que trois : Akryl, Youcha et elle-même. Pour se maintenir parmi les postulants à la course, la jeune Voltaine bénéficiait d'une aide précieuse : Yori, son grand frère qui étudiait en classe terminale, s'était classé quatrième l'an dernier. Il faisait profiter sa sœur de son expérience et lui prodiguait de nombreux conseils. Youcha disparaissait souvent pour aller le rejoindre et le questionner sur les meilleures stratégies à adopter.

De son côté, Akryl tirait profit de ses dons de télépathe. On avait l'impression qu'il devinait à l'avance les déplacements et les intentions des autres concurrents. Il parvenait si aisément à contrôler son Voltron que ce dernier semblait être une extension de lui-même. Néanmoins, Lori-Lune avait remarqué que, depuis le début de l'entraînement, le caractère de son ami s'était aigri. Il se fâchait plus facilement, avait moins de patience et de tolérance envers autrui, et il critiquait tout le temps. Cette course devait l'énerver beaucoup plus qu'il ne voulait l'avouer.

Lori-Lune était assez satisfaite de sa propre performance. À vrai dire, cela lui semblait si facile qu'elle se demandait pourquoi si peu de gens réussissaient à manier un Voltron. Il lui suffisait de visualiser la trajectoire à prendre et l'appareil lui obéissait toujours au doigt et à l'œil. Finalement, elle trouvait cette course réellement amusante. Elle devait admettre qu'au fond d'elle-même elle se moquait bien d'arriver ou non la première à ce jeu. Ce qui lui plaisait autant était la sensation de plein contrôle sur l'engin volant. La fluidité et la vitesse du vol la grisaient.

Elle réfléchissait à tout cela quand, soudain, elle se demanda pourquoi Youcha n'était pas encore revenue se coucher. Qu'est-ce qui pouvait lui prendre autant de temps ? Peut-être était-elle malade ? Compatissante, Lori-Lune décida d'aller voir si elle pouvait l'aider. Elle quitta le dortoir sur la pointe des pieds et se rendit à la salle de bains. En constatant que sa camarade ne s'y trouvait pas, Lori-Lune s'inquiéta. À cette heure tardive, la Voltaine n'était certainement pas allée voir son frère, alors, où pouvait-elle bien être ?

Silencieusement, l'adolescente suivit le long corridor menant à la grande salle. Comme toutes les nuits, seul le Bilbor projetait sa douce lumière sur les murs. Il n'y avait personne, pourtant Lori-Lune crut entendre des chuchotements. Sans faire de bruit, elle s'avança jusqu'au milieu de la pièce et se tint immobile derrière le Bilbor. Il lui sembla que les murmures provenaient du hall d'entrée. Elle s'en approcha à pas de loup et y coula un regard prudent. Elle vit, tout près de la sortie du collège, Youcha discutant avec une personne complètement dissimulée sous un large manteau la couvrant de la tête aux pieds.

L'intrus donna un objet à Youcha qui lui rendit quelque chose en échange. La jeune Voltaine lui tourna le dos et revint en courant vers la grande salle. Lori-Lune eut à peine le temps de s'accroupir derrière une table, espérant ainsi se dissimuler. Sa camarade était si pressée de retourner à sa chambre, qu'elle ne remarqua pas sa présence. Toujours aux aguets, Lori-Lune attendit un moment avant de se relever et de regarder de nouveau dans le hall d'entrée. L'inconnu avait disparu.

« Je suis certaine qu'il s'agit de la même personne que j'ai aperçue l'autre nuit, songea Lori-Lune. La même taille, le même manteau sombre et la même manière de s'évanouir dans la nuit. »

Pendant un instant, elle hésita sur la conduite à suivre. Devait-elle partir à la recherche de ce mystérieux personnage ? Ou serait-il plus sage de revenir à sa chambre et de questionner sa compagne ? Elle opta pour jeter un coup d'œil aux alentours. Le hall était vide et elle n'avait pas entendu s'ouvrir la porte donnant vers l'extérieur. Elle décida donc de contrôler le corridor menant vers les bureaux de l'administration qu'elle arpenta d'un bout à l'autre sans rencontrer âme qui vive. Elle rebroussa chemin et regagna le hall. Elle entrevit alors une ombre se glissant dans la grande salle. Elle figea sur place, guettant le moindre son, prête à s'enfuir au besoin. Des bruits de pas s'éloignant la rassurèrent.

En regardant prudemment par la porte séparant les deux vastes pièces, elle aperçut l'inconnu, debout, près du tableau d'affichage. Il s'apprêtait à actionner le mécanisme permettant de faire pivoter le panneau qui donnait accès à l'escalier secret. Quand il leva le bras, Lori-Lune vit, dépassant du manteau, le bout d'une aile blanche.

« Monsieur Mirfak ! » pensa-t-elle aussitôt.

À sa connaissance, seuls les Denebiens possédaient des ailes et uniquement deux d'entre eux fréquentaient le collège : son ami Akryl et le professeur d'histoire. D'emblée, elle écarta la possibilité que ce soit son jeune camarade de classe. D'abord, parce qu'il était incapable d'ouvrir ce panneau ; ensuite, parce qu'il n'était pas aussi grand que cet homme. Elle n'était qu'à moitié surprise par cette découverte. En toute logique, un Denebien aussi instruit que lui pouvait connaître la langue des dragons, puisqu'il venait de la même planète. Donc, il était fort probable qu'il parvînt à lire les livres qui se trouvaient dans la bibliothèque, au dernier étage du collège. À titre d'historien, il était certainement intéressé par toutes les connaissances que recélaient ces vieux volumes.

Néanmoins, cela n'expliquait en rien ce que Lori-Lune avait surpris entre Mirfak et Youcha. Que s'étaient-ils échangés ? Et surtout, pourquoi le faire en pleine nuit, presque en cachette ?

Lori-Lune attendit que son enseignant disparaisse derrière le tableau d'affichage avant de s'éloigner en direction des dortoirs. Lorsqu'elle passa près du Bilbor, celui-ci s'agita. Le prisme se mit à tournoyer rapidement, occasionnant des changements brusques de couleur dans le faisceau lumineux. La jeune fille s'habituait difficilement à cette façon étrange qu'avait cet appareil de communiquer avec elle. Chaque fois, elle hésitait à répondre à son appel, redoutant les révélations qu'il lui ferait.

Elle le fixa un long moment avant de se décider. Elle mit de côté ses craintes et posa une main sur le tube de verre. Immédiatement, le prisme pointa vers elle. Tel un film auquel la jeune fille assisterait impuissante, des images envahirent son cerveau. Elle vit une terre aride où quelques rares buissons parvenaient à pousser entre les cailloux. Dans le ciel, une dizaine d'oiseaux blancs tournoyaient dans un même cercle invisible. Soudain un dragon apparut au-dessus d'eux et plongea pour les attraper. Les oiseaux s'enfuirent dans toutes les directions, cherchant à échapper aux crocs du dragon. Lorsque ce dernier se retrouva seul, il atterrit. Il arracha plusieurs buissons, en fit un tas et, de son souffle chaud, les enflamma. La gueule béante au-dessus du feu, il semblait respirer avidement la fumée qui s'élevait lentement vers le ciel. Puis, se tournant vers Lori-Lune, le dragon poussa un long cri rauque.

La vision s'effaça aussitôt. L'adolescente fut parcourue de frissons. Le cri du dragon lui glaçait le sang. Était-il en colère contre elle ? Devait-elle s'attendre à affronter un ennemi aussi effroyable ? Secouée par ce qu'elle venait d'entrevoir, elle retourna dans son dortoir en toute hâte. Youcha s'y trouvait déjà, paisiblement endormie. De son côté, rongée par l'inquiétude, Lori-Lune mit beaucoup de temps à retrouver le sommeil.

5

Archéologues amateurs

Lori-Lune errait seule dans le parc qui longeait l'océan. Profitant d'un long congé scolaire de quatre jours, la plupart de ses camarades étaient partis chez eux. Peu de pensionnaires étaient obligés de rester au collège, faute de pouvoir rejoindre leur famille. Étant donné que le père de Lori-Lune effectuait présentement un long voyage commercial, il était beaucoup trop loin pour venir chercher sa fille. L'adolescente occupait donc son temps en explorant le vaste domaine de l'école.

Le Collège supérieur interstellaire était bâti sur une grande île dans la mer de Kénonie. En regardant du côté du soleil couchant, on apercevait le continent et la ville de Kwifta où habitaient l'oncle et la tante de Lori-Lune, ainsi que son cousin Poly. En pensant à lui, la jeune fille émit un soupir de soulagement. Pour l'instant, il ne venait pas au collège, car il était sous le coup d'une sévère punition. Attiré par tout ce qui était défendu, Poly avait réussi l'exploit de se faire suspendre de l'école dès les premières semaines de l'année scolaire.

Du haut d'une falaise, Lori-Lune fixait le large, en songeant à son cousin qui devait être très déçu de ne pas pouvoir participer à la course de Voltrons. Elle devait reconnaître que, malgré tous ses défauts, il démontrait des habiletés bien au-dessus de la moyenne pour conduire un engin spatial. Après tout, le sang des Taïko coulait aussi dans ses veines puisque la mère de Poly et le père de Lori-Lune étaient frère et sœur.

La jeune fille emprunta le sentier qui descendait vers le rivage couvert de galets. La mer était brune et ne donnait pas envie de s'y baigner. Lori-Lune se contenta de marcher au bord de l'eau, espérant ainsi faire le tour de l'île. Pendant un long moment, elle se promena sans rencontrer qui que ce soit, puis, au détour d'un rocher, elle aperçut la silhouette de Youcha. La jeune Voltaine aussi passait son congé scolaire au collège. Lori-Lune se demanda si elle devait aller la rejoindre ou rebrousser chemin. Ce n'est pas qu'elle n'aimait pas Youcha, mais, parfois, elle la trouvait un peu énervante avec son babillage continuel.

Elle n'eut pas à se poser la question très longtemps. Youcha courait déjà vers elle en criant :

— Lori ! Viens voir ce que j'ai trouvé !

Poussée par la curiosité, Lori-Lune pressa le pas. De ses longs bras, Youcha faisait de grands signes pour inciter sa camarade à se hâter.

— Regarde ! dit-elle en montrant un fragment de pierre grise qu'elle tenait à la main. Il y a des dessins gravés dessus.

Lori-Lune ouvrit des yeux étonnés. Ce que Youcha appelait des dessins ressemblait à s'y méprendre à l'ancienne écriture des dragons.

— Où l'as-tu ramassée ?

— Juste là, au pied de la falaise ! Je m'amusais à lancer des cailloux dans la mer et je cherchais une pierre plate pour faire des bonds sur l'eau. C'est drôlement joli, toutes ces petites gravures.

— C'est surtout étrange, murmura Lori-Lune. Je me demande s'il y en a d'autres.

Youcha l'entraîna à l'endroit exact où elle avait fait sa découverte. Les deux jeunes filles se mirent à examiner le sol, déplaçant et retournant les galets.

— Tiens, voilà une autre pierre ! s'écria la Voltaine.

— Moi aussi, j'en ai trouvé une... et encore une autre. Ça en fait quatre. C'est bizarre, on dirait qu'elles sont faites pour aller ensemble, comme les morceaux d'une même pierre qui se serait cassée.

Tel un casse-tête, les fragments s'ajustaient parfaitement les uns aux autres, formant ainsi une gravure unique.

— Ce ne sont pas des dessins ordinaires, constata Youcha. On dirait plutôt des signes ou des lettres. Je ne comprends pas pourquoi quelqu'un aurait laissé ça ici. Il l'a peut-être perdu.

— Ou échappé, ajouta Lori-Lune en levant la tête vers la falaise. Regarde, il y a un trou dans la falaise, juste au-dessus de nous. Ça ressemble à l'entrée d'une grotte. Je parie que c'est de là que la pierre est tombée. Et c'est sûrement en frappant le sol qu'elle s'est brisée.

— Mais qu'est-ce que cette pierre faisait là-haut ? demanda Youcha en fixant sa compagne de ses grands yeux noirs.

— Pour le savoir, nous n'avons qu'à aller voir !

Lori-Lune mit deux morceaux de la pierre dans ses poches et tendit les deux autres à Youcha pour qu'elle fasse de même. Ensuite, sans plus attendre, elle entreprit d'escalader la paroi rocheuse.

— Attention ! Tu vas tomber, c'est dangereux ! s'inquiéta la jeune Voltaine.

— Pas du tout, viens, c'est facile ! Tu n'as qu'à me suivre.

Youcha hésita un moment avant de se décider à grimper. Ses longs bras semblaient davantage lui nuire que l'aider. Craintive, elle se hissait lentement, cherchant les prises et les points d'appui. Lori-Lune, au contraire, montait avec beaucoup d'aisance. Lorsqu'elle parvint au trou, elle s'y glissa sans trop de difficulté.

— Attends-moi ! cria Youcha, d'une voix plaintive. Je n'y arrive pas. Je vais glisser.

— Donne-moi ta main ! Je vais t'aider.

Lori-Lune se pencha vers sa camarade et l'attrapa par le bras. Tirant de toutes ses forces, elle réussit à soulever Youcha vers elle.

— Oui, aide-moi... Ça y est... j'y suis ! Oh ! Comme c'est haut ! Je crois que j'ai le vertige.

— Recule-toi vers le fond, suggéra Lori-Lune. Tu te sentiras mieux si tu ne regardes pas en bas.

Youcha suivit ce sage conseil et entra plus profondément dans la grotte. Elle se mit à grelotter et à se plaindre.

— Ce qu'il fait froid dans ce trou et je n'y vois rien. Il fait beaucoup trop sombre. Oh ! j'y pense : je crois que j'ai ma lampe ! Oui, la voilà !

Elle sortit de sa poche une espèce de médaillon qu'elle épingla à son chandail. Du bout du doigt, elle le tapota délicatement et une lumière vive en jaillit.

— C’est mieux comme ça, non ? Ah… regarde !

Ce que la lampe éclairait était fabuleux ! Les murs de la grotte étaient recouverts de signes et de dessins. Certains étaient peints en rouge ou en blanc, tandis que les autres étaient gravés dans la pierre. Les images représentaient clairement des dragons, des soucoupes volantes et des oiseaux. Les lettres, ressemblant à celles de l'écriture des dragons, étaient incompréhensibles pour les deux jeunes filles. Immobiles, elles demeurèrent bouche bée tout en admirant ce qu'elles venaient de découvrir. Youcha, la première, retrouva l'usage de la parole.

— Qu'est-ce que c'est que ça ? Qui a bien pu s'amuser à gribouiller sur les murs ?

— Je ne pense pas que ce soit un jeu, corrigea Lori-Lune. C'est une langue très ancienne, qui n'est plus utilisée depuis des siècles. Je crois que nous sommes devant un texte qui a été écrit il y a très, très longtemps. C'est... c'est une découverte digne d'un archéologue.

— Il faut absolument prévenir tout le monde !

— Tout le monde ! Tu ne trouves pas que c'est un peu trop ?

— Mais nous devons le dire à quelqu'un ! Nous ne pouvons pas garder ce secret juste pour nous.

— Il n'est pas question de se comporter en égoïstes, protesta Lori-Lune, mais il faut aussi songer à protéger cet endroit. Penses-y, si tous les étudiants apprennent l'existence de ces vestiges, plusieurs d'entre eux viendront ici. Ils pourraient abîmer les dessins, barbouiller par-dessus. Il y en a même qui casseraient des morceaux de la paroi pour rapporter un souvenir chez eux.

— Alors, qu'est-ce qu'on fait ? Il faut pourtant bien le dire à quelqu'un.

— Oui, bien sûr. Nous allons en informer maître Éonas, mais avant, j'aimerais jeter un coup d'œil plus loin, là-bas.

Lori-Lune s'avança vers le fond de la grotte et se rendit compte que la tache sombre qu'elle apercevait était en réalité une ouverture. Elle appela sa camarade :

— Youcha ! J'ai besoin de ta lampe. Je veux voir sur quoi ça débouche.

La jeune Voltaine s'approcha, piquée par la curiosité.

— Ça ressemble à un tunnel ! Wow ! C'est excitant !

Sans se soucier des dangers qui pourraient la guetter, Youcha s'élança dans le tunnel. Ce fut au tour de Lori-Lune de lui crier de l'attendre. L'une derrière l'autre, les deux jeunes filles parcoururent le long et tortueux souterrain. À intervalles réguliers, des signes étaient gravés sur la paroi. Parfois, les adolescentes s'attardaient pour les examiner, cherchant à comprendre ce qu'ils pouvaient bien signifier.

Après avoir marché longtemps, elles durent s'arrêter, car un mur bloquait le passage. Youcha tapa du pied.

— Ce n'est pas juste ! Nous avons fait tout ce chemin et ça ne débouche nulle part.

— Mais non, il doit certainement exister un moyen de passer, comme une porte secrète.

— Tu crois ? fit Youcha de nouveau excitée par le côté mystérieux de cette promenade.

Lori-Lune ne répondit pas. Elle se contenta de hocher la tête. Elle glissait ses mains lentement sur le mur à la recherche d'un mécanisme permettant de le faire pivoter. Ne trouvant rien, elle allait abandonner lorsque Youcha lui indiqua deux signes gravés sur la paroi, non loin du mur.

— Ça explique peut-être comment ouvrir ?

— Peut-être bien, admit Lori-Lune, mais ça ne nous avance pas beaucoup.

Ni toi ni moi ne pouvons lire ces instructions. Quoique...

Elle examina les signes avec plus de soin et se rendit compte qu'ils étaient différents de tous ceux qu'elle avait vus auparavant. Il s'agissait de plusieurs points reliés par des lignes et qui constituaient deux figures abstraites.

— Ce ne sont pas des lettres, mais deux constellations. Je les connais : c'est celle du Dragon et celle de la Petite Ourse. Chaque point représente une étoile. La planète Deneb où habite Akryl et où vivaient autrefois les dragons est juste là. Et la planète sur laquelle nous sommes, la Brimatie, est ici, expliqua Lori-Lune en appuyant sur deux points, l'un après l'autre.

Un grondement sourd se fit entendre. Le sol trembla et le mur pivota lentement dans un craquement inquiétant. Les deux jeunes filles se serrèrent l'une contre l'autre, craignant que le plafond du tunnel ne s'effondre sur elles. Le souterrain s'emplit peu à peu de lumière et les adolescentes purent apercevoir, de l'autre côté de la porte, un bureau et une grande table couverte de flacons et d'éprouvettes.

— Je sais où nous sommes ! s'exclama Youcha en passant la porte. C'est le laboratoire de monsieur Mirfak.

— Es-tu déjà venue ici ?

— Oui, souvent. Euh… enfin, pas si souvent que ça, se reprit-elle, soudain gênée. Une ou deux fois, c'est tout.

— Je ne savais pas qu'il avait un laboratoire. Pour un professeur d'histoire, ce n'est pas habituel. Quelle sorte de recherche fait-il ?

De plus en plus mal à l'aise, Youcha tenta d'éluder la question.

— Je… je ne sais pas. Ce n'est probablement rien d'important.

— N'empêche, avec tous les appareils qu'il a, ça doit lui prendre beaucoup d'argent pour mener à bien son travail.

— Peut-être… Allez, viens. Nous ne pouvons pas rester là. Il faut partir, monsieur Mirfak va surement arriver d'un moment à l'autre.

— Et puis après ? Ce n'est pas grave, nous lui raconterons ce que nous avons découvert. Je ne comprends pas pourquoi tu es si pressée. On dirait que tu te sauves. Qu'est-ce que…

— Mesdemoiselles ! fit une voix sur un ton courroucé. Que faites-vous chez moi ?

En reconnaissant monsieur Mirfak, Youcha baissa la tête, l'air piteux. Lori-Lune, à l'opposé, s'approcha de son enseignant, sans aucune crainte.

— Nous avons fait une découverte extraordinaire qui vous intéressera, j'en suis certaine.

— Vraiment ? Et cela aurait-il un quelconque rapport avec le trou béant qui défigure mon mur ?

Malgré l'air sévère qu'affichait le professeur, Lori-Lune ne le redoutait nullement, ce qui n'était pas le cas de Youcha qui s'agitait dans son coin.

— Exactement, admit Lori-Lune. Nous sommes arrivées par un tunnel qui se rend d'ici à la falaise, au bord de la mer. Le plus étonnant, ce sont les textes écrits dans la langue des dragons. Il y en a un peu partout dans le souterrain, mais surtout à l'autre extrémité, dans la sortie. Regardez, ce sont des fragments d'une pierre qui était tombée au pied de la falaise.

Elle prit les morceaux dans ses poches et les montra à l'enseignant.

Monsieur Mirfak changea d'attitude. Vivement intrigué, il considérait avec attention les lettres gravées dans la pierre. En se rendant compte que son professeur n'était plus fâché, Youcha lui tendit les morceaux qu'elle avait en sa possession.

— Si on les place correctement, expliqua-t-elle, les pierres s'imbriquent les unes dans les autres.

Monsieur Mirfak s'empara vivement de tous les morceaux et les disposa dans le bon ordre. Il hocha la tête à plusieurs reprises en murmurant :

— Fascinant ! Tout à fait renversant !

Puis, comme s'il lisait le texte, il murmura des mots qu'aucune des deux jeunes filles ne comprit. Lori-Lune eut alors la certitude que monsieur Mirfak connaissait parfaitement la langue des dragons. Elle s'en doutait déjà depuis quelque temps, même s'il lui avait déjà affirmé ne pas comprendre ce langage. Soudain, il releva la tête et demanda :

— C'est bien dans ce tunnel que vous avez découvert cette merveille ?

— Oui, affirma Youcha. Tout au bout, il y a une grotte remplie d'inscriptions et de dessins. Nous pouvons aller vous le montrer...

— Merci, non, ce n'est pas nécessaire. Vous en avez déjà assez fait. Mais comment avez-vous pu ouvrir ce mur?

Lori-Lune l'entraîna vers le souterrain et lui montra le dessin des deux constellations. Elle lui indiqua les deux points sur lesquels elle avait appuyé. L'enseignant sourit et marmonna:

— Évidemment, ça ne pouvait être que ces deux étoiles! Bravo, mademoiselle, vous êtes perspicace.

Il ajouta à voix haute:

— Maintenant, à titre d'historien du collège, c'est à moi de m'occuper de cette affaire. Promettez-moi de ne rien dire à aucun de vos camarades de classe. Jurez-le-moi! C'est de la plus haute importance. S'il fallait qu'un intrus s'introduise dans le tunnel et qu'il abîme les dessins et les gravures, ce serait une perte épouvantable.

— C'est promis, nous garderons cela pour nous, dit aussitôt Youcha.

— Oui, c'est promis, affirma à son tour Lori-Lune.

— Parfait, vous pouvez disposer. Youcha, tu connais le chemin.

— Oui, monsieur.

La jeune Voltaine s'éloigna rapidement, comme si elle avait hâte de quitter le laboratoire. Cette attitude craintive intrigua Lori-Lune qui lui demanda, dès qu'elles furent assez loin :

— De quoi est-ce que tu te sauves ?

— Je ne me sauve pas.

— Alors, pourquoi te dépêches-tu autant ?

— Parce que... ça ne te regarde pas. Viens, il faut monter par cet escalier.

Tout en grimpant les marches derrière Youcha, Lori-Lune continua de la questionner.

— Est-ce que cela a un rapport avec l'autre nuit ? Celle pendant laquelle tu as fait un cauchemar. Je t'ai aperçue discutant avec monsieur Mirfak.

Youcha se retourna brusquement pour fixer sa camarade de ses grands yeux noirs.

— Qu'est-ce que tu as vu exactement, l'autre nuit ?

— Eh bien, j'ai eu l'impression que vous échangiez quelque chose.

— Ça ne te concerne pas. Ce sont mes affaires. Je ne veux plus jamais que tu parles de cela. C'est personnel, comprends-tu ?

Elle se remit à monter en courant. Lori-Lune la suivit, mais en prenant son temps. L'attitude agressive de sa compagne la surprenait. Elle ne s'était pas attendue à une réaction aussi violente. Tout en haut de l'escalier, elle fut étonnée, en poussant la porte, de se retrouver dans le hall d'entrée. Mais, cette petite porte, habilement dissimulée dans les décorations du mur, expliquait par où le professeur avait réussi à quitter aussi rapidement les lieux les deux nuits où Lori-Lune l'avait entrevu dans le hall.

Songeuse, la jeune fille resta longtemps immobile au milieu de cette vaste pièce. Elle ne sortit de sa rêverie que lorsque la porte d'entrée s'ouvrit toute grande. Elle regarda par-dessus son épaule et vit nul autre que son cousin.

— Poly ! Qu'est-ce que tu fais ici ? Je croyais que tu étais suspendu pour encore un mois.

— Eh bien non, la petite ! Mes parents ont réussi à convaincre le principal que je devais absolument participer à la course des Voltrons. Alors, me voici de retour !

Lori-Lune se força pour sourire, tout en se disant : « Voilà quelqu'un dont je me serais bien passée ! »

6

Amitié en péril

Pour se convaincre que Poly disait bien la vérité, Lori-Lune regardait le film de la course de l'année précédente. Depuis son retour au collège, son cousin n'avait cessé de lui répéter à quel point il avait été génial lors de cette compétition. La jeune fille était convaincue qu'il se vantait dans le but évident de la diminuer. Chaque fois, il ajoutait sournoisement :

— Tandis que toi, ma petite, avec ton manque d'expérience… je doute que tu puisses te rendre bien loin !

Petite ! Insulte suprême qu'il lui jetait du bout des lèvres, l'air hautain. D'accord, Lori-Lune était plus menue que la majorité des Kénoniennes de son âge, et puis après ! Ça ne l'empêchait pas de valoir autant que les autres. Nul besoin d'être une géante pour conduire un Voltron, puisqu'elle y réussissait fort bien malgré les sarcasmes de l'adolescent. Pourtant, les yeux rivés sur l'écran, elle ressentit un serrement au creux de l'estomac. Son cousin était d'une adresse déconcertante. Il maniait son engin volant presque aussi habilement que Zakishi. Téméraire et fonceur, il prenait des risques calculés et parvenait à déjouer la plupart des autres concurrents. Il anticipait les manœuvres de ses adversaires et se faufilait parmi les premiers. L'an dernier, il avait terminé quatrième, ce qui était fabuleux pour un jeune de la classe préparatoire. Cette année, il participait avec l'assurance de monter sur le podium.

Lori-Lune soupira et éteignit l'écran. Elle en avait assez vu. Elle quitta la filmothèque à pas lents. Son enthousiasme pour la course avait beaucoup diminué ces derniers temps. D'ailleurs, depuis la fin du congé scolaire, tout allait de travers. Il ne se passait pas un jour sans que Poly cherchât à la ridiculiser. Youcha ne lui adressait plus la parole et l'évitait comme la peste pour passer le plus clair de son temps sur la piste d'entraînement. Et Akryl se montrait de plus en plus impatient et coléreux. Il rouspétait à propos de tout et de rien. Il s'emportait à la moindre contrariété. Plus qu'une seule chose importait à ses yeux : remporter la course des Voltrons. Car aussi incroyable que cela puisse paraître, cette année, parmi les vingt candidats potentiels, trois jeunes de la classe préparatoire demeuraient toujours en lice pour la course des Voltrons : Youcha, Akryl et Lori-Lune ! Presque malgré elle, la jeune fille sourit en songeant qu'elle avait encore la possibilité de clouer le bec à son cousin et de lui prouver qu'elle n'était pas aussi nulle qu'il se plaisait à le crier sur les toits.

Elle parcourut le collège à la recherche de son ami Akryl et finit par le dénicher dans le local de vol spatial virtuel. Installé devant un simulateur, il se concentrait sur un petit vaisseau affiché à l'écran. Lori-Lune hésita avant de l'aborder. La dernière fois, il s'était fâché contre elle en prétextant qu'elle l'avait dérangé lors d'une manœuvre délicate.

Sentant une présence derrière lui, Akryl se retourna :

— Ah ! C'est toi.

Il semblait désapointé, comme s'il avait attendu quelqu'un d'autre. Poussée par l'orgueil, Lori-Lune ne montra pas sa déception face à cet accueil glacial.

— Oui, je passais par ici et je t'ai aperçu. Comment va l'entraînement ?

— À merveille ! Je m'améliore de jour en jour. Je peux piloter de plus en plus vite tout en gardant un contrôle parfait de l'engin.

— Et tu crois que ça va vraiment t'aider pour la course ? Je veux dire, le simulateur, ce n'est que du virtuel. Dans la réalité, le Voltron ne se manie pas exactement de la même manière. C'est plus complexe, plus...

— En tout cas, répondit Akryl d'un ton sec, c'est mieux que de passer tout son temps, comme toi, à regarder des vieux enregistrements. Ce n'est pas une pilote que tu vas devenir, mais une gardienne d'archives.

Lori-Lune se pinça les lèvres pour ne pas répliquer que gardienne d'archives valait autant que pilote de course. Elle en savait quelque chose puisqu'elle avait les deux dans sa famille, mais évidemment, Akryl ne pouvait pas le savoir puisqu'il ignorait tout de la branche maternelle de son amie. Sur Brimatie, jamais elle n'avait raconté à personne que sa mère et ses grands-mères étaient responsables des archives les plus importantes de ce monde.

— Justement, dit-elle, il est bientôt l'heure de notre entraînement. Est-ce que tu viens ?

— Non, pas tout de suite, j'ai encore un peu de temps. Vas-y, je te rejoindrai là-bas.

Il continua de s'activer sur le simulateur. Lori-Lune comprit qu'il était préférable de ne pas l'attendre. Elle quitta le local, mais jeta un dernier regard à Akryl avant de s'éloigner. Elle aperçut un Voltain, de la classe terminale, s'approcher de son ami et se pencher pour lui parler à voix basse. L'attitude d'Akryl changea brusquement. Il se montrait attentif, excité et joyeux. Lori-Lune eut un pincement au cœur. Déçue et peinée, elle se dirigea vers l'extérieur. Elle erra dans le jardin à la recherche d'un endroit paisible et isolé pour donner libre cours à son chagrin. Malheureusement, partout où ses pas la menaient, elle rencontrait des étudiants, à croire qu'il n'y avait que cela dans ce collège!

Elle décida donc de se rendre au bord de la mer, sachant pertinemment que peu de jeunes s'aventuraient aussi loin durant l'heure du dîner. Le long sentier qu'elle devait emprunter longeait le jardin, passait dans un petit boisé aux arbres chétifs et traversait une espèce de savane où ne poussaient que des buissons maigrichons et de rares fleurs. Le soleil cuisant du midi rendait sa promenade harassante. Lori-Lune n'y avait jamais vraiment pensé, mais aujourd'hui elle trouvait l'endroit tout à fait hostile. Lorsqu'elle entrevit au loin la falaise, elle éprouva du soulagement.

Alors qu'elle approchait de son but, elle accéléra le pas, puis elle s'arrêta soudainement. Elle n'était pas seule. Debout, au bord de la falaise, se tenait un étudiant, les bras en croix, le menton levé vers le ciel.

— Mais qu'est-ce qu'il fait là ? s'étonna Lori-Lune.

Intriguée, elle fixait l'adolescent, cherchant à l'identifier d'aussi loin. Puis, horrifiée, elle le vit tomber dans le vide. Elle poussa un cri et s'élança vers la falaise. Elle dévala le sentier qui menait à la plage et put enfin s'approcher de l'étudiant. Elle reconnut alors Gamir, un jeune de son niveau.

— Gamir, est-ce que tu m'entends ? Réponds-moi !

Allongé sur le dos, les yeux mi-clos, il marmonnait et gémissait. Il ne semblait pas vraiment conscient de la présence de Lori-Lune à ses côtés.

— Gamir, ne bouge pas. Je vais chercher de l'aide.

Elle remonta la pente aussi vite qu'elle le put et courut vers la piste d'entraînement. Madame Klauk s'y trouvait déjà, préparant la prochaine séance d'exercices qui allait débuter dans peu de temps. Toute essoufflée, Lori-Lune s'écria :

— Madame… Madame… Vite… il est tombé.

— Calmez-vous, mademoiselle ! Est-il vraiment nécessaire d'ameuter tout le monde comme vous le faites ?

— Mais madame... Gamir est tombé en bas de la falaise ! C'est grave, il faut l'aider.

L'enseignante fronça les sourcils. Elle se demanda d'abord si la jeune fille disait vrai, puis elle évalua la distance qui la séparait de la falaise. Se décidant enfin à réagir, elle ordonna :

— Vous venez avec moi, mademoiselle Taïko. Pendant mon absence, personne ne touche aux Voltrons, ajouta-t-elle en s'adressant aux autres étudiants.

Madame Klauk monta à bord d'un Voltron et enjoignit Lori-Lune de faire de même.

— Vous allez passer devant et m'indiquer l'endroit où se trouve votre camarade.

— Oui, madame.

Lori-Lune s'installa aux commandes de son appareil et décolla. Pressée par l'urgence de la situation, elle pilota rapidement, s'élevant au-dessus des arbres pour mieux les éviter, longeant le sol en terrain découvert et plongeant sans crainte vers le bas de la falaise. Elle

atterrit tout près de Gamir. Madame Klauk, qui la suivait de près, fit de même.

L'enseignante sortit prestement de son Voltron et se pencha au-dessus de l'étudiant, afin de l'examiner soigneusement. Toujours allongé sur le sol, Gamir ne réagissait pas.

— Il respire normalement, nota madame Klauk. Son pouls est faible mais régulier. Il n'a aucune blessure apparente à la tête. Par contre, pour ce qui est de cette jambe, je crains qu'elle ne soit cassée. C'est certainement très douloureux.

Elle actionna son communicateur et lança un appel :

— Ici, madame Klauk, j'aimerais parler aux services d'urgence. Je me trouve sur la plage avec un blessé.

Une voix rauque lui répondit :

— Nous vous envoyons tout de suite une équipe médicale. Donnez-nous votre position exacte.

— Dans le secteur B-14, juste au pied de la falaise d'où l'élève a fait une chute. Il est inconscient.

— Nous serons là dans un moment.

Madame Klauk ferma le communicateur et reprit place dans son Voltron.

— Mademoiselle Taïko, vous allez demeurer ici avec votre camarade, jusqu'à ce que les secours soient arrivés. Ensuite, vous les accompagnerez au collège où je vous prierais d'aller raconter ce que vous avez vu à maître Éonas. J'irai le rencontrer plus tard, quand l'exercice sera terminé. Je ne peux laisser vos camarades trop longtemps sans surveillance. Venez rejoindre le groupe dès que le principal vous le permettra.

Sans plus attendre, l'enseignante s'envola et disparut derrière la falaise. Intimidée par l'immobilité de Gamir, Lori-Lune ne savait trop que faire. Elle aurait bien voulu l'aider, mais redoutait d'aggraver son cas. Elle jugea finalement qu'il valait mieux s'asseoir et attendre. Elle se tournait les pouces depuis quelques minutes quand elle entendit des voix au-dessus d'elle. Levant la tête, elle vit trois silhouettes se profiler en haut de la falaise. Croyant qu'il s'agissait de l'équipe médicale, elle leur fit un signe de la main. Les trois personnes figèrent sur place en remarquant la jeune fille, puis elles reculèrent et disparurent de son champ de vision.

Intriguée par cette réaction, Lori-Lune se leva et grimpa la pente. Elle parvint au sommet juste à temps pour apercevoir au loin trois étudiants qui couraient en direction de la piste d'entraînement. L'un d'eux était Akryl qu'elle reconnut facilement grâce à ses ailes.

« Pourquoi s'enfuit-il ainsi, sans même me saluer? se demanda Lori-Lune.

Qu'est-ce que je lui ai fait pour qu'il se montre aussi désagréable avec moi, depuis quelque temps ? »

Les dents serrées, retenant ses larmes, la jeune fille redescendit lentement vers la plage. Elle n'eut pas le temps de s'apitoyer plus longuement sur son sort, car déjà une ambulance volante s'approchait. Tel que convenu, dès que le blessé fut installé à bord et eut reçu les premiers soins, Lori-Lune monta dans son Voltron et suivit l'ambulance jusqu'au collège. Maître Éonas les attendait sur le perron. Il s'informa d'abord de la santé du jeune blessé et ordonna qu'on le conduisît immédiatement à l'infirmerie. Puis il demanda à Lori-Lune de l'accompagner dans son bureau.

— Je ne vous retiendrai pas longtemps. Je souhaite simplement comprendre ce qui s'est passé. Ensuite, vous pourrez retourner au camp d'entraînement.

La jeune fille s'empressa de raconter ce dont elle avait été témoin.

— Il était seul sur le bord de la falaise et il est tombé. Il a peut-être eu un étourdissement. J'étais trop loin pour le retenir. C'est tout ce que je sais.

— Et avez-vous vu d'autres étudiants aux alentours ?

— Non, personne.

Maître Éonas hocha la tête et marmonna :

— Mais qu'est-ce qui leur prend à ces jeunes ? C'est le troisième cette semaine...

Puis, s'avisant de la présence de Lori-Lune, il lui donna congé. Juste avant qu'elle ne sorte, le principal lui posa une dernière question.

— Votre camarade, Gamir, participe-t-il au camp d'entraînement ?

— Plus maintenant, il a été éliminé dès les premières semaines.

— Ce sera tout, vous pouvez disposer. Merci.

Lori-Lune quitta le collège à la hâte et sauta dans son Voltron. Poussant les commandes à fond, elle revint vers la piste où une dizaine de postulants effectuaient déjà une simulation de course. Madame Klauk lui fit signe d'aller s'asseoir dans les estrades et d'attendre le prochain tour. Lori-Lune prit place non loin de Youcha qui lui coulait des regards curieux. N'y tenant plus, cette dernière l'apostropha sans détour :

— Où étais-tu passée ? Comment se fait-il que tu te promenais avec un Voltron ? Je croyais que c'était interdit de les utiliser en dehors de la piste.

Depuis leur découverte archéologique, c'était la première fois que la jeune Voltaine adressait la parole à Lori-Lune qui en éprouva du soulagement. Le froid qui les séparait venait peut-être de disparaître.

— C'est à cause de Gamir, chuchota Lori-Lune, comme si elle voulait mettre Youcha dans la confidence. Il a eu un accident et il a fallu que je l'aide. Maintenant il est à l'infirmerie. J'espère qu'il va s'en remettre rapidement.

Youcha se rapprocha d'elle et la bombarda de questions. Quelques minutes plus tard, les deux jeunes filles étaient redevenues des amies, bavardant de choses et d'autres, mais surtout des performances des futurs concurrents à la course.

— As-tu vu qui est en tête ? C'est ton cousin. Mon frère m'avait dit qu'il était bon, mais à ce point-là...

Lori-Lune scruta la piste avec plus d'attention. Poly menait bien le peloton, suivi de près par deux étudiants beaucoup plus âgés que lui. Un peu plus loin derrière venait Yori, le grand frère de Youcha. Dans la queue se trouvaient six jeunes dont Akryl. Poly, qui accélérait toujours, s'approcha d'eux et tenta une manœuvre de dépassement. Surpris d'être talonné d'aussi près, le Denebien sursauta et fit bifurquer sa nacelle qui accrocha celle de son voisin immédiat. Le choc fut si imprévu et si intense que les deux concurrents perdirent le contrôle et allèrent s'écraser en bordure de la piste. Poly continua sa route, riant aux éclats.

— Aïe ! fit Youcha. Ça doit faire mal ! J'espère qu'ils ne seront pas éliminés à cause de cette chute.

— Je l'espère aussi, Akryl tient tellement à participer à la course. Je trouve que ça lui prend beaucoup de temps à se relever.

— Il s'est peut-être assommé ?

Les yeux fixés sur Akryl, Lori-Lune ne répondit pas. Inquiète, elle aurait voulu aller aider son ami, mais elle hésitait. Akryl était tellement soupe au lait depuis quelque temps qu'elle redoutait sa réaction si elle s'approchait de lui. Ce fut madame Klauk qui mit fin à son supplice en donnant le signal de la fin de la course.

— Bravo à tous ceux qui ont terminé l'épreuve! C'est maintenant au tour des autres participants. Passez-vous les Voltrons!

Lori-Lune courut vers Akryl qui était encore assis par terre à côté de son engin.

— Est-ce que ça va? demanda-t-elle.

Le jeune Denebien la regarda, l'air ébahi.

— Qu'est-ce que je fais là?

— Tu as fait une sortie de piste. Tu ne t'en souviens pas?

— Euh... non... Je ne me rappelle... rien.

— Attends, ne bouge pas. Je vais informer le professeur.

Lori-Lune courut vers madame Klauk et lui dit:

— Madame, je crois qu'il faudrait emmener Akryl à l'infirmerie. Il est complètement sonné. C'est peut-être grave.

L'enseignante soupira:

— Un autre blessé! Vraiment, cette année, je ne sais pas ce qui se passe, mais ça n'augure rien de bon! J'appelle tout de suite les services d'urgence. Quant à vous, mademoiselle, prenez le Voltron de votre ami et préparez-vous pour le départ.

La jeune fille acquiesça et retourna vers Akryl.

— Ne t'inquiète pas, les premiers soins arriveront bientôt. On va s'occuper de toi.

Les yeux dans le vide, Akryl ne réagit pas. Lori-Lune secoua la tête. Elle ne pouvait rien de plus pour son ami. Elle monta dans le Voltron et saisit les poignées afin d'actionner l'appareil. Elle éprouva alors une étrange sensation, comme si tout se passait au ralenti et qu'un brouillard épais envahissait son cerveau. Elle lâcha aussitôt les poignées et tout redevint normal. Pendant quelques secondes, elle demeura immobile, les mains dans les airs, cherchant à comprendre ce qui venait de lui arriver. Puis, prudemment, elle toucha une seconde fois aux poignées. Le brouillard se manifesta de nouveau. Tous les sons lui paraissaient déphasés. Elle avait l'impression que les gens se déplaçaient beaucoup trop lentement pour que ce soit réel.

Alarmée par cette réaction inhabituelle, elle descendit du Voltron et se hâta de rejoindre madame Klauk qui l'accueillit froidement :

— Qu'est-ce que vous attendez pour vous placer sur la ligne de départ ?

— C'est à cause du Voltron d'Akryl. Il ne fonctionne pas normalement. Quand je lui touche, je...

— Eh bien, allez en prendre un autre, mademoiselle. Dépêchez-vous ! Vous retardez la course. Ah ! Voilà l'ambulance ! Notre blessé est par là.

Elle s'éloigna sans prêter attention à ce que Lori-Lune voulait lui expliquer. La jeune fille haussa les épaules et se rendit dans le hangar. Trois participants de la première course s'y trouvaient déjà, discutant à voix basse autour d'un Voltron. Ils cessèrent brusquement de converser et l'un d'eux s'adressa rudement à Lori-Lune :

— Qu'est-ce que tu viens faire ici ? Tu devrais être sur la piste.

— J'ai besoin d'un appareil, le mien fonctionne mal, répondit-elle en se dirigeant vers un Voltron.

L'étudiant réagit vivement :

— Non, pas celui-là ! Il... il a des problèmes. Prends plutôt... le dernier de la file. Personne ne s'en est servi aujourd'hui.

Lori-Lune ne put s'empêcher de penser que ces trois jeunes avaient une allure suspecte. Que manigançaient-ils autour des Voltrons ? Elle essaya néanmoins de faire comme si elle n'avait rien remarqué. Elle monta à bord de l'engin et décolla sans problème. Dès qu'elle arriva à la ligne de départ, madame Klauk donna le signal du début de la course.

7

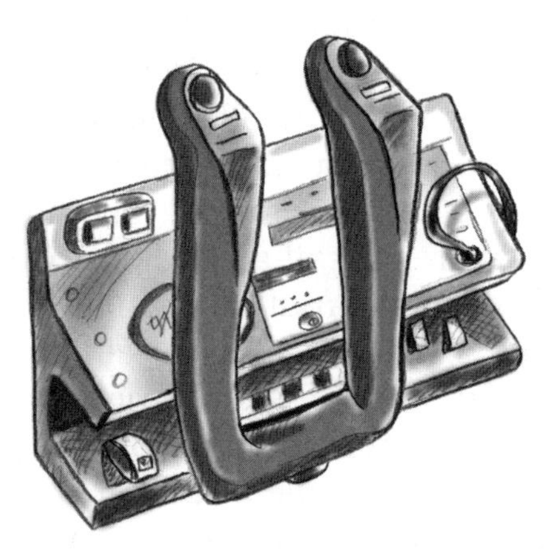

Tricheurs

Immobile, Lori-Lune garda les yeux fermés pendant un long moment. Autour d'elle, dans le dortoir, les filles s'agitaient de moins en moins, sombrant une à une dans le sommeil. Lorsqu'elle fut convaincue que toutes ses compagnes s'étaient endormies, elle repoussa doucement ses couvertures et se leva. Elle retira sa robe de nuit sous laquelle elle avait enfilé un pantalon et un chandail noirs. Une lampe de poche à la main, elle quitta sa chambre sur la pointe des pieds.

Elle savait très bien que cela lui était interdit, mais il fallait qu'elle en ait le cœur net. Silencieuse, elle sortit dans le jardin entourant le collège et emprunta le sentier conduisant à la piste de course. Dans le ciel, de lourds nuages cachaient les lunes et les étoiles. Tout en marchant, Lori-Lune repensait à cette journée. Elle ne s'était pas si mal débrouillée lors de l'entraînement puisqu'elle s'était classée deuxième, juste derrière une étudiante de la classe terminale. Tout de suite après la course, elle s'était présentée à l'infirmerie pour prendre des nouvelles de Gamir et d'Akryl, et s'était alors rendu compte qu'ils n'étaient pas les seuls blessés à occuper les lieux. Deux autres jeunes, anciennes candidates à la course des Voltrons, s'y faisaient soigner. L'une avait déboulé les marches de l'escalier et souffrait d'une fracture aux côtes, tandis que l'autre, ayant fait une chute sur un plancher mouillé, s'était frappé la tête sur le sol et était victime d'une commotion cérébrale. Quatre blessés en quelques jours à peine !

En soi, c'était déjà assez surprenant, mais il y avait aussi des coïncidences étonnantes. Les quatre blessés avaient tous tenté de participer à la course des Voltrons et en étaient maintenant exclus. L'accident du pauvre Akryl lui avait attiré l'élimination, à sa grande déception. De plus, les quatre blessés ne gardaient aucun souvenir de ce qui leur était arrivé. Ils semblaient confus et incapables de se concentrer sur quoi que ce soit. Maître Éonas avait décidé de les maintenir sous observation, afin d'éviter tout autre incident.

Lori-Lune se questionnait aussi sur l'étrange sensation que le Voltron d'Akryl lui avait donnée. Elle avait bien essayé d'en parler avec madame Klauk, mais cette dernière n'avait montré aucun intérêt pour ce problème. Elle s'était bornée à dire qu'elle ferait examiner l'appareil dès qu'elle en aurait le temps. Plus Lori-Lune y réfléchissait, plus elle croyait qu'il pouvait y avoir un lien entre l'engin défectueux et la chute de son ami. Et puisque personne ne la prenait au sérieux, elle allait elle-même vérifier le fameux Voltron.

Elle contourna la piste et se dirigea directement vers le hangar. Elle en ouvrit facilement la porte et entra. Tout était silencieux. Elle prit soin de refermer derrière elle avant de chercher le Voltron numéro 12. Elle le découvrit tout au fond du hangar. Posé de guingois contre le mur, il avait l'air d'un objet abandonné dont on voudrait se débarrasser. Elle le mit en marche et posa ses mains sur les poignées. Elle éprouva la même sensation que cet après-midi. Elle lâcha aussitôt les poignées et le brouillard qui envahissait son cerveau se dissipa. Elle en était certaine à présent, cet appareil était défectueux. Peut-être n'était-il pas le seul dans cet état?

Lori-Lune essaya tous les Voltrons, mais aucun ne provoquait les mêmes symptômes. Elle revint vers l'appareil d'Akryl et l'examina avec attention. Les fils reliant le tableau de commande au moteur étaient bien en place. Elle alluma l'engin et l'écran s'illumina normalement laissant apparaître les indications habituelles. Puis, en scrutant les poignées à l'aide de sa lampe de poche, elle aperçut un timbre transparent collé sur l'une d'elles. Elle se hâta d'aller vérifier sur d'autres Voltrons et se rendit compte qu'aucun d'eux ne possédait cette pastille adhésive. Elle s'empressa alors de l'enlever pour ensuite l'apposer sur l'écran de son lecteur électronique. Un message dans la langue des dragons apparut alors.

— Mais qu'est-ce que ça veut dire? murmura-t-elle. Akryl ne lit pas cette langue, il me l'a déjà affirmé. Est-ce lui ou une autre personne qui a posé ce timbre sur son Voltron? Et est-ce que...

Elle mit en marche l'engin volant et en saisit les poignées. Aucune sensation bizarre ne l'envahit.

— Ça veut donc dire que c'était ce petit collant qui déréglait l'appareil. Mais pourquoi faire une telle chose? Quelqu'un désire-t-il éliminer des participants? Pourtant, Akryl ne semblait pas avoir éprouvé de difficulté à piloter. Il n'y a que moi qui ai ressenti ce malaise. Et pourquoi est-ce écrit dans cette vieille langue que personne ne sait lire?

Plus elle réfléchissait, moins Lori-Lune comprenait. Un bruit de pas vint interrompre ses pensées. Elle éteignit sa lampe en vitesse et s'accroupit derrière le Voltron, espérant passer inaperçue. La porte du hangar s'ouvrit et une ombre pénétra à l'intérieur. La lumière vive d'une lampe de poche balaya rapidement les Voltrons avant de s'arrêter sur l'un d'eux. La silhouette courut vers l'engin. D'où elle était, Lori-Lune ne pouvait distinguer les mouvements de l'intrus, mais elle devinait qu'il travaillait sur l'appareil. Elle entendait des cliquetis métalliques, des frottements, ainsi que la respiration haletante de l'inconnu. Puis, celui-ci cria :

— Yé ! J'ai réussi ! À moi la victoire !

Lori-Lune se mordit les lèvres pour ne pas crier à son tour. Elle venait de reconnaître la voix de son cousin Poly Shinel. Elle se retint pour ne pas lui sauter dessus et exiger des explications. Elle préférait le laisser aller jusqu'au bout de son méfait et s'assurer par la suite qu'il avait mal agi. Soudain, elle vit Poly relever la tête. Tout comme son cousin, elle aussi avait entendu du bruit. Quelqu'un d'autre approchait. Poly éteignit sa lampe et eut d'abord le réflexe de s'enfuir. Mais il était trop tard, trois personnes pénétrèrent dans le hangar. Poly se précipita derrière un Voltron, croyant y être à l'abri des regards.

Les nouveaux venus, convaincus d'être seuls, ne prenaient pas la peine de parler à voix basse. D'un pas assuré, ils

se dirigèrent sans hésiter vers le premier appareil près de la porte.

— Demain, nous prendrons les trois premiers Voltrons. Il suffit simplement d'arriver ici avant tout le monde. Passe-moi un collant !

— Tiens ! Montre-nous où tu l'appliques, nous allons faire de même avec nos appareils.

— C'est simple. Vous les posez juste ici, sur la poignée. Il faut que vos doigts y touchent pendant que vous pilotez.

— Compris !

Ses deux acolytes se tournèrent vers leur engin respectif et l'imitèrent. Quelques minutes plus tard, ils sortirent du hangar en riant et en se félicitant pour le bon travail accompli. Lori-Lune demeura immobile, mais Poly bondit hors de sa cachette dès que la porte fut refermée.

— Ah, les tricheurs ! bougonna-t-il en colère. S'ils croient s'en tirer ainsi, ils ne savent pas à qui ils ont affaire.

Il se précipita sur les Voltrons modifiés et, d'un geste sec, arracha un des fils reliant le moteur au tableau de commande de chacun d'eux.

— C'est bien fait pour eux ! Maintenant, ils seront obligés de prendre d'autres engins. J'ai hâte de voir la tête qu'ils feront demain matin. À moi la victoire !

Retenant difficilement son rire, il quitta rapidement le hangar. Lori-Lune attendit un long moment avant de se relever. Ce dont elle venait d'être témoin la décourageait. Son propre cousin trichait ! Ça ne lui suffisait pas d'être un excellent pilote. Il voulait gagner à tout prix. Elle s'approcha lentement du Voltron choisi par Poly et l'examina. Elle découvrit, installé sous le tableau de bord, une minuscule rondelle métallique. Elle mit l'appareil en marche et en vérifia les caractéristiques. Il lui fallut un certain temps pour comprendre que l'ajout de cette rondelle modifiait l'équilibre et la vitesse du Voltron.

— Ça lui donne un gros avantage sur les autres participants. Je me demande où il a pu dénicher ce bidule. Qu'est-ce que je fais ? Je le lui laisse et j'avertis madame Klauk ou je l'enlève ?

Elle réfléchit longuement et décida de ne pas s'en mêler. Après tout, rien ne prouvait que cette rondelle fonctionnait réellement. Elle préféra attendre au lendemain et voir comment Poly se comporterait durant l'entraînement. Elle se dirigea ensuite vers les trois premiers Voltrons et retira les timbres que les garçons y avaient apposés. Les messages qui apparurent sur son lecteur électronique étaient identiques à celui du premier collant.

— Alors, ce sont eux qui ont posé le timbre sur le Voltron d'Akryl. Mais ils ne le font pas pour nuire au pilote. Au contraire, si j'ai bien compris, ça doit les aider à gagner. Dans ce cas, pourquoi l'effet du timbre était-il aussi déstabilisant sur moi ? Qu'est-ce qui leur permet de ne pas se sentir dans un brouillard et de ne pas tout voir au ralenti ? Vraiment, je ne comprends pas.

Ne trouvant pas de réponse logique, elle haussa les épaules et décida de réparer les dégâts causés par Poly. Elle réussit à connecter de nouveau les fils. Elle jeta un dernier coup d'œil à tous les appareils et sortit enfin. Plutôt que de revenir directement au collège, elle préféra aller marcher sur la plage. Les nuages se dissipant, les lunes de Brimatie éclairaient doucement les alentours. La jeune fille pouvait avancer sans avoir recours à sa lampe de poche. Elle marcha jusqu'à la falaise et resta un long moment au sommet, cherchant à comprendre ce qui avait bien pu provoquer la chute de Gamir. Il était seul sur la falaise et personne ne l'avait poussé. S'était-il jeté en bas de lui-même ? Pourquoi aurait-il agi ainsi ? Est-ce que son élimination de la course l'avait poussé au désespoir ? Toute aussi mystérieuse était la chute de l'étudiante dans l'escalier. Sans oublier celle qui avait glissé sur le plancher mouillé. Était-ce suffisant pour devenir confuse ? Existait-il un rapport avec la course ou n'était-ce qu'une coïncidence ? Plus elle retournait les questions dans sa tête, plus cela lui apparaissait complexe.

Elle soupira et descendit vers la plage. En longeant la falaise, elle empruntait un long chemin qui la ramènerait au collège. Quand elle arriva à proximité de l'endroit où, avec Youcha, elle avait découvert l'entrée du tunnel souterrain, elle eut l'envie de l'explorer encore une fois. Elle grimpa habilement jusqu'à la grotte et y pénétra. Elle alluma sa lampe de poche pour percer les ténèbres qui y régnaient. Les dessins et les messages gravés sur les parois lui apparurent.

Elle s'attarda d'abord aux illustrations de soucoupes volantes. Elles étaient différentes des vaisseaux spatiaux utilisés aujourd'hui. Sur une des peintures, elles étaient disposées en ovale, rappelant vaguement la forme d'une piste de course. Lori-Lune se demanda si ce n'était pas là l'ancienne version de la course des Voltrons. Une annotation dans la langue des dragons était inscrite juste au-dessus. La jeune fille la scruta avec le plus grand intérêt, puis elle consulta son lecteur électronique. Les lettres sur les timbres correspondaient parfaitement à celles de la paroi. Le message était le même.

— Eh bien, ça alors! souffla-t-elle, étonnée. Si seulement je comprenais ce qui est écrit, j'arriverais peut-être à aider Akryl. Je peux toujours demander à mes grands-mères d'essayer de déchiffrer le message. Elles connaissent quelques mots de cette ancienne langue. Et tous ces dessins, quelle est donc leur signification?

Les yeux rivés sur les images d'oiseaux et de dragons, elle tentait vainement de donner un sens à cette fresque. Une voix la tira brusquement de son analyse.

— Mademoiselle Taïko, que faites-vous là?

— Euh... je... rien, répondit-elle, surprise, en reconnaissant le professeur Mirfak.

— À cette heure tardive, vous devriez être au lit et endormie depuis longtemps, mademoiselle. J'exige une explication sur votre présence en ces lieux.

— C'est parce que... je n'arrivais pas à dormir... et... et...

— Et quoi ? demanda l'enseignant qui s'impatientait.

— Et j'ai voulu prendre l'air. J'ai marché jusqu'ici et ça m'a donné l'idée de venir admirer les vestiges des anciens dragons. Je ne voulais pas vous déranger dans votre travail. Seulement... ça m'intéresse beaucoup.

Monsieur Mirfak fronça les sourcils et la toisa avant de la questionner.

— Qu'est-ce qui vous intéresse beaucoup ?

— Tout ceci. Je veux dire l'archéologie. C'est passionnant. Je crois que c'est le métier que j'aimerais exercer plus tard.

— Archéologue ! Vous ! Mais vous êtes une Kénonienne et jamais auparavant on n'a vu quelqu'un de votre race montrer de l'enthousiasme en cette matière. C'est bon pour les Kiribatiens ou les Denebiens, comme moi. Tandis que vous...

— Je ne comprends pas pourquoi les métiers vont avec les races. Est-ce vraiment obligatoire? Moi, j'aime l'histoire et toutes les leçons qu'on peut tirer du passé. J'attache beaucoup d'importance à votre cours d'histoire. J'y ai toujours eu de belles notes. Et cette langue ancienne m'intrigue. J'aimerais réellement apprendre à la lire.

Elle montra du doigt le court texte qui surmontait le dessin des soucoupes volantes et ajouta:

— Par exemple, ce qui est écrit là, est-ce que ça explique qu'il s'agit d'une course?

Monsieur Mirfak s'approcha du mur que Lori-Lune éclairait. Il s'appliqua à déchiffrer le texte et commenta:

— Pas tout à fait, il semble plutôt que ce soit une mise en garde contre les dangers de l'abus du fellarah.

— Le fellarah? Qu'est-ce que c'est?

— Une plante rare qui pousse dans les endroits arides. Ça ressemble à des brindilles séchées, agrémentées de quelques petites fleurs rousses. Autrefois, il y en avait beaucoup et on s'en servait pour alimenter les feux. Malheureusement, la fumée qui s'en exhalait avait des propriétés toxiques. Elle pouvait causer des hallucinations, donner l'impression que l'on était plus fort et plus habile qu'en réalité. J'ai entendu parler de pilotes qui s'en servaient il y a très longtemps, espérant ainsi augmenter leur capacité à manier un vaisseau spatial. Mais cela causait plus de dommages que de bienfaits.

— C'est fascinant ! Et... c'est tout ce que ça dit ?

— Pas tout à fait, ça indique aussi quelques précautions à prendre pour éviter les désagréments de la plante. Mais je ne crois pas qu'il soit nécessaire que vous en sachiez davantage. Après tout, vous participez à la course des Voltrons et je ne voudrais pas vous inciter à choisir la voie des drogues pour tenter de réussir cette épreuve sportive.

— Ce n'était pas mon intention, je vous le jure ! Mais... mais j'ai bien peur que d'autres étudiants n'y aient pensé, avoua-t-elle timidement.

Monsieur Mirfak la regarda de la tête aux pieds, l'air sévère.

— C'est une accusation très grave, mademoiselle. Si vous n'avez pas de preuves à ce sujet, vous ne devriez pas colporter de telles sornettes.

Lori-Lune mit en marche son lecteur électronique et le montra à son professeur. Celui-ci ouvrit de grands yeux étonnés. Sans dire un mot, il fit signe à la jeune fille de le suivre. Ils arpentèrent le long tunnel jusqu'au laboratoire de l'enseignant. Puis, ils montèrent au rez-de-chaussée où ils empruntèrent l'ascenseur qui les mena à l'étage des chambres des enseignants. Là, Mirfak ordonna à son étudiante d'attendre dans le petit salon, tandis qu'il allait réveiller maître Éonas. Anxieuse, Lori-Lune se dandinait tout en se demandant si elle avait agi correctement.

8

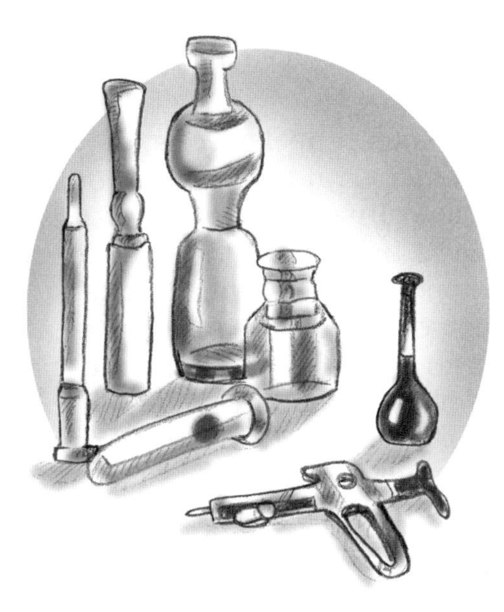

Trop curieuse

Elle n'avait songé qu'à venir en aide à son ami Akryl. Si Lori-Lune avait su où cela la mènerait, elle y aurait pensé à deux fois. Assise dans un coin du salon des enseignants, elle attendait que ces derniers terminent leur conciliabule et en arrivent à une décision à son sujet.

Madame Klauk fut la première à venir vers elle.

— Mademoiselle Taïko, qu'est-ce qui vous a poussée à visiter le hangar, cette nuit ?

— Vous rappelez-vous, durant l'entraînement aujourd'hui, je vous ai dit que le Voltron utilisé par Akryl fonctionnait bizarrement ? Vous étiez trop occupée pour le vérifier, mais si vous l'aviez essayé, vous auriez ressenti un effet étrange. C'était comme un brouillard et tout allait au ralenti. Je n'avais jamais éprouvé cela auparavant. Ça m'intriguait et j'ai voulu examiner l'appareil de plus près.

Madame Klauk serra les lèvres. Elle était vexée d'avoir été prise en défaut. Elle aurait dû faire cette vérification elle-même. Malheureusement, après l'entraînement, elle avait oublié l'incident et était retournée au collège pour le cours suivant. Cette course lui apportait un surplus de travail et elle commençait à donner des signes de fatigue.

— Il n'empêche que vous n'avez pas la permission de quitter votre dortoir en pleine nuit pour errer aux alentours du collège. Vous auriez pu y faire de mauvaises rencontres.

Lori-Lune pensa aux autres étudiants qui étaient entrés dans le hangar. Elle ne craignait pas son cousin. Il était plus grand et plus costaud qu'elle, mais il ne l'effrayait pas. Par contre, ceux qui avaient posé les collants auraient pu se montrer agressifs. Même si elle n'avait pas vu leur visage, leurs voix lui étaient familières. Il s'agissait presque certainement des mêmes qui discutaient dans le hangar, cet après-midi, alors qu'elle y était allée pour se chercher un appareil. Mais elle ne pouvait pas le prouver. Il lui était donc impossible de les accuser formellement. Aussi n'avait-elle rien dit sur leur présence en ces lieux.

Maître Éonas s'approcha d'elle et lui demanda, l'air sévère :

— Comment expliquez-vous que vous ayez en votre possession quatre collants ?

— C'est parce que j'ai examiné tous les Voltrons. J'ai retiré tous les collants que j'ai trouvés. Quand je les ai apposés sur mon lecteur, ils donnaient tous le même message illisible. Et ça m'a rappelé les signes dans la grotte. C'est pour cette raison que j'y suis allée. Quand monsieur Mirfak m'a découverte, j'essayais simplement de trouver un sens à tout cela. Et je ne comprends toujours pas comment ce timbre autocollant peut aider à mieux piloter. Ça ne fait que nuire.

— Évidemment, marmonna tout bas le professeur Mirfak, sans un bonne dose de fellarah, ça n'avance à rien.

— Le problème avec cette plante, répliqua maître Éonas, c'est qu'elle a des effets secondaires extrêmement néfastes. Si nos élèves y étaient exposés, ils...

Il ne termina pas sa phrase, mais fixa tour à tour monsieur Mirfak et madame Klauk. Ceux-ci firent un air entendu, comme s'ils devinaient exactement à quoi le principal faisait allusion. Madame Klauk murmura :

— Je crois que nous savons maintenant de quel mal ils sont atteints. Mais où ont-ils bien pu dénicher du fellarah ?

Tous les trois se tournèrent vers Lori-Lune et lui jetèrent un regard inquisiteur. La jeune fille ressentit le besoin de se défendre avant même d'être accusée.

— Je n'en ai aucune idée. Je ne savais même pas que ça existait, avant aujourd'hui. Je...

— Vous êtes pourtant l'amie d'Akryl...

— Vous avez découvert ces timbres un peu trop facilement...

— Vous aimez fureter un peu partout, même dans les endroits défendus...

— Alors, où se trouve le fellarah ?

— Je l'ignore ! Je vous le jure !

Les enseignants se consultèrent à voix basse et maître Éonas décréta la sentence :

— Mademoiselle Taïko, nous ne pouvons tolérer aucune tricherie dans cette course. J'ignore de quelle manière vous êtes mêlée à cette tromperie. Tant que nous ne serons pas certains de votre innocence, nous vous garderons à l'œil. Pour l'instant, vous avez la permission de poursuivre l'entraînement, mais si nous découvrons quoi que ce soit de louche à votre égard, tant pis pour vous ! Nous serons sans pitié. Je vous conseille de marcher droit. Retournez immédiatement à votre chambre.

— Oui, monsieur ! Merci, monsieur !

Lori-Lune s'empressa de quitter le salon et dévala les marches du septième étage jusqu'au rez-de-chaussée. Ses mains tremblaient et son cœur battait à tout rompre. Elle n'oublierait pas de sitôt cette scène humiliante. On venait de la traiter comme une coupable. Bon, d'accord, elle n'aurait jamais dû sortir du dortoir en pleine nuit, mais tout de même, n'avait-elle pas réussi à mettre au jour une tentative de tricherie ? Cependant, il restait encore celle de Poly ! Qu'allait-elle faire à propos de son cousin ? Il lui déplaisait de le laisser gagner d'aussi mauvaise manière, mais elle ne souhaitait plus avoir à affronter les enseignants.

— Ah ! Tant pis ! bougonna-t-elle. Que Poly s'arrange avec ses problèmes, je ne veux plus me mêler de ses histoires.

Sur la pointe des pieds, elle regagna son lit et s'y allongea. Malgré ses efforts pour se calmer, elle ne parvenait pas à trouver le sommeil. Surtout que Youcha, en proie à un cauchemar, s'agitait et parlait à voix haute. Lori-Lune, de mauvaise humeur, se leva et secoua sa compagne pour la réveiller.

— Chut ! Tu fais un mauvais rêve. Tu vas empêcher tout le monde de dormir. Chut !

Youcha s'assit brusquement dans son lit et regarda Lori-Lune avec des yeux étonnés. Puis elle soupira et parut se détendre.

— Oh, encore… Je suis désolée de t'avoir dérangée. Tu peux te recoucher. Je vais… je vais aller à la salle de bains.

Youcha s'apprêta lentement à quitter le dortoir. Juste avant de sortir, elle se tourna et dit :

— Qu'est-ce que tu fais toute habillée ? Où est passée ta chemise de nuit ?

Elle repartit sans même attendre la réponse. Lori-Lune se hâta de profiter de son absence pour troquer son pantalon et son chandail noirs contre un vêtement de nuit. Elle se rendit ensuite à la salle de bains et constata que Youcha ne s'y trouvait pas.

— Où est-elle encore passée, celle-là ? À tout moment, elle disparaît sans donner d'explication. Et si…

Lori-Lune réfléchit un instant et se décida enfin à partir à la recherche de Youcha. Elle avait sa petite idée sur l'endroit où elle pouvait la trouver. Elle traversa la grande salle et le hall d'entrée, et se rendit à la porte donnant sur l'escalier qui descendait au sous-sol. Elle hésita avant d'ouvrir. Après tout, elle ne tenait pas à tomber nez à nez avec le professeur Mirfak, mais néanmoins elle voulait en avoir le cœur net sur les déplacements continuels de Youcha. Mettant ses craintes de côté, elle franchit la porte et descendit lentement, les oreilles aux aguets.

Au pied de la dernière marche, un long corridor donnait accès à plusieurs pièces dont la dernière était le laboratoire du professeur Mirfak. Des bruits diffus provenaient de cet endroit. Lori-Lune s'en approcha silencieusement jusqu'à ce que, par la porte ouverte, elle aperçoive Youcha. Penchée au-dessus du bureau, la jeune Voltaine ouvrit une fiole qu'elle porta à ses lèvres pour en avaler le contenu. Ensuite, elle saisit un petit tube qu'elle appuya fortement sur le bout de son doigt. Elle grimaça et poussa un faible cri. Puis, elle suça son doigt, comme si un peu de sang s'en échappait. Elle plaça le tube et la fiole bien en évidence sur le bureau du professeur. Finalement, elle se retourna pour quitter le laboratoire. Lori-Lune eut tout juste le temps de s'engouffrer dans un autre local, que Youcha passait déjà dans le corridor sans la voir.

Lori-Lune attendit que sa compagne se fût suffisamment éloignée avant de sortir de sa cachette et de se glisser à son tour dans le laboratoire du professeur. Elle prit la fiole et la sentit. Une odeur piquante lui chatouilla les narines. Qu'est-ce que cette petite bouteille avait bien pu contenir ? L'autre soir, lorsqu'elle avait surpris Youcha et Mirfak dans le grand hall d'entrée, était-ce le même produit qu'ils s'étaient échangés ? Lori-Lune examina le tube et constata qu'une minuscule aiguille était insérée à l'une des extrémités. Youcha s'était donc piquée un doigt, mais dans quel but ? Une idée terrible traversa soudainement le cerveau de Lori-Lune. Se pourrait-il que tout cela ait un rapport avec le fellarah, cette plante qui servait de drogue aux anciens pilotes ? Ça signifierait que monsieur Mirfak fournirait aux étudiants cette horrible plante !

— Non, murmura-t-elle, c'est impossible. Je me trompe sûrement. Le professeur fait des recherches et maître Éonas doit être au courant, donc ce ne peut pas être quelque chose d'illégal. Alors, de quoi s'agit-il ?

Poussée par son indomptable curiosité, Lori-Lune se mit à examiner tout ce qui se trouvait dans le laboratoire. Il y avait des éprouvettes et des pipettes, une balance et un microscope, des bocaux et des fioles remplis de liquides et de poudres. L'ordinateur du professeur était éteint, mais les jetons de cristal servant à sauvegarder ses informations étaient rangés dans une boîte à côté de l'appareil. La jeune fille regretta de ne pas avoir sur elle son lecteur électronique pour pouvoir en lire le contenu.

Haussant alors les épaules, elle dirigea plutôt son attention sur un vieux coffre orné de gravures de dragons, qui provenait probablement de la planète Deneb. La serrure était munie de boutons en verre de différentes couleurs. Lori-Lune se demanda s'il fallait les utiliser pour composer un code permettant d'ouvrir le couvercle. Elle glissa ses doigts sur les boutons. En passant audessus de l'un d'eux, elle ressentit un léger picotement. Se fiant à son instinct, elle appuya sur ce bouton. Puis, elle effleura de nouveau la série de boutons et un autre picotement se fit sentir. Elle recommença l'opération jusqu'à ce qu'elle entende un faible déclic. Sans effort, elle put soulever le couvercle.

Le coffre contenait trois livres. Le premier semblait très ancien avec ses pages

jaunies. Les lettres, appartenant à la langue des dragons, donnaient l'impression d'avoir été tracées à la main, à une époque très reculée. Le deuxième volume, écrit en denebien, paraissait plus récent. Le dernier était en réalité un cahier à couverture rigide. Il contenait des notes de travail. Lori-Lune n'eut pas à lire longtemps pour comprendre qu'il s'agissait de la traduction du premier livre. La jeune fille avait entre les mains la preuve que la langue des anciens dragons n'était pas inaccessible. Monsieur Mirfak pouvait bel et bien la lire.

— Ah ! Si seulement je pouvais le convaincre de m'enseigner ce qu'il sait sur cette langue, j'aurais accès à tout le savoir des dragons. Mais, en ce moment, je ne suis pas vraiment en bons termes avec lui. Sans cette vilaine drogue et tous les problèmes qui s'ensuivent, je n'aurais pas été discréditée à ses yeux. Maintenant, il me regarde comme si j'étais une criminelle. Je n'ai rien fait de mal. Je fais juste... fouiller dans ses affaires personnelles !

Horrifiée par sa propre indiscrétion, Lori-Lune remit vivement les livres dans le coffre et le referma. D'un pas rapide, elle sortit du laboratoire et courut jusqu'à l'escalier. S'il fallait que le professeur Mirfak la découvrît en ces lieux, que pourrait-elle lui dire ? Apeurée à cette idée, elle retourna à sa chambre aussi vite qu'elle le put et se glissa dans ses draps. Youcha s'était rendormie. Lori-Lune ferma les yeux et tenta, elle aussi, de trouver le sommeil.

9

Fatiguées

Lori-Lune se traînait les pieds. Depuis ce matin, elle se sentait fatiguée. Elle avait si peu dormi la nuit précédente qu'elle éprouvait de la difficulté à suivre ses cours. Comme tous les candidats à la course des Voltrons, elle se dirigeait vers la piste, mais sans entrain. Elle aurait échangé avec plaisir l'engin volant contre un bon lit douillet. Convaincue qu'il y aurait deux groupes, elle alla s'installer dans les gradins, laissant à d'autres le premier tour.

Youcha vint s'asseoir près d'elle. La jeune Voltaine aussi paraissait épuisée.

— Tu n'as pas l'air en forme, lui fit remarquer Lori-Lune. Tes cauchemars t'empêchent de dormir ?

Youcha grommela un son qui ressemblait vaguement à un oui.

— J'ai l'impression d'avoir le cerveau en compote, poursuivit Lori-Lune.

— Aux pommettes du désert ou aux fruits des champs ? demanda Youcha.

— Quoi ? s'étonna Lori-Lune.

— Ta compote, à quoi est-elle ? ajouta Youcha en lui faisant un clin d'œil.

Puis, elle pouffa de rire. Surprise, Lori-Lune ne réagit pas tout de suite, mais finit par imiter son amie. Toutes les deux riaient tellement qu'elles ne s'aperçurent pas immédiatement que les autres étudiants quittaient la piste pour retourner vers le collège.

— Hé ! Regarde ! s'écria Youcha. Tout le monde est parti.

— Qu'est-ce qui se passe ? Viens, allons voir.

Lori-Lune se leva et entraîna Youcha vers le hangar. Sur le tableau d'affichage à côté de la porte était inscrite une petite note : « Pour des raisons d'entretien des Voltrons, le camp d'entraînement est suspendu jusqu'à demain. Merci, Madame Klauk. »

— Tant mieux ! commenta Youcha. Je n'étais pas en forme aujourd'hui. Et toi non plus ! Donc, nous sommes libres jusqu'au prochain cours. Que faisons-nous ?

Lori-Lune haussa les épaules.

— Je ne sais pas. Je n'ai pas envie de retourner tout de suite au collège.

— Et si nous allions nous promener au bord de la mer ? Nous pourrions passer par le petit boisé. Il y fait moins chaud que dans la savane.

— Excellente idée ! Je n'ai pas envie de me faire cuire au soleil.

Heureuses de profiter de ce moment de liberté, elles empruntèrent le sentier qui traversait la forêt. Une question brûlait les lèvres de Lori-Lune. Elle aurait voulu demander à Youcha ce qu'elle avait fait au beau milieu de la nuit dans le laboratoire du professeur Mirfak. Mais comment pouvait-elle s'en informer sans avouer qu'elle-même y était allée ? Elles marchaient depuis un bon moment, lorsque Youcha s'arrêta brusquement. Elle mit un doigt sur ses lèvres et attira Lori-Lune derrière un gros buisson.

— Chut ! souffla-t-elle. Je ne veux pas qu'il me voie.

Lori-Lune glissa un regard prudent dans la direction que lui indiquait son amie. Beaucoup plus loin sur le sentier, quatre étudiants formaient un cercle.

— Lequel ? articula tout bas Lori-Lune.

— Le Voltain. Chut !

Silencieuses, les deux filles fixaient le petit groupe. Lori-Lune reconnut le Voltain qui s'était entretenu avec Akryl juste avant l'entraînement de la veille. Il tenait à la main une boule dorée dont il frotta le dessus jusqu'à ce qu'une fumée violacée s'en échappe doucement par le haut. Il approcha la boule de son visage et en respira longuement les émanations. Puis, il tendit la boule à ses compagnons qui firent de même, chacun leur tour. Ils recommencèrent ce manège à plusieurs reprises. Quand la boule ne répandit plus de fumée, les étudiants donnèrent au Voltain un petit objet que

Lori-Lune ne put identifier. Ensuite, vacillants sur leurs jambes, ils partirent tous en direction de la piste de course.

Les filles attendirent qu'ils fussent suffisamment éloignés avant de sortir de leur cachette.

— Ouf! Ils ne nous ont pas vues, soupira Youcha, visiblement soulagée.

— Tu connais ce garçon? Est-ce qu'il est dangereux?

— Il s'appelle Grafour. Il est dans la classe de mon frère, Yori. Mon frère m'a avertie de me tenir loin de lui. Il est... bizarre. Il n'a pas d'amis et il ne cherche qu'à faire du mal aux autres. Yori dit qu'il est méchant et que je dois m'en méfier.

— C'est étrange, ce qu'ils ont fait. Je n'avais jamais vu une boule métallique comme celle-là. À quoi peut-elle bien servir?

— C'est un fumigateur. On l'utilise souvent sur ma planète pour chasser les insectes piqueurs avec de la fumée. Mais habituellement, ce n'est pas respirable. Ça étouffe.

— Le fellarah! s'exclama Lori-Lune.

Elle venait de comprendre une partie du mystère. Le professeur avait dit, la nuit dernière, qu'il fallait prendre du fellarah pour que le timbre soit efficace. C'était assurément cette plante qui brûlait dans le fumigateur. D'ailleurs, ces jeunes n'avaient pas l'air dans leur état normal en quittant les lieux. Ils semblaient drogués.

— Le fellarah ! répéta Youcha. Mais c'est une plante dangereuse. Pourquoi en prendraient-ils ?

— Tu connais cette plante ? s'étonna Lori-Lune.

— Bien sûr, elle pousse sur ma planète. Dès notre jeune âge, on nous apprend à l'éviter, car ça cause de graves problèmes. Au début, quand on la fait brûler et qu'on la respire, on se sent bien. On a l'impression qu'on est invincible, qu'on pourrait même voler. Mais après quelques fois, ça joue sur le cerveau. On se sent confus, on a des pertes de mémoire, on devient même agressif. Le fellarah... si Grafour en prend, ça explique son drôle de comportement. Mais pourquoi en donne-t-il aux autres étudiants ?

— Je ne crois pas qu'il leur en donne. Je pense plutôt qu'il leur en vend.

Chacun d'eux lui a remis quelque chose avant de partir.

Youcha approuva d'un geste de la tête. Elle réfléchit un instant et suggéra :

— Viens, allons prévenir maître Éonas !

— Euh... oui, évidemment, il faut avertir quelqu'un, marmonna Lori-Lune sans grand enthousiasme.

Elle n'était pas enchantée à l'idée d'affronter encore une fois la colère du principal. Cependant, elle comprenait qu'on ne pouvait laisser Grafour vendre sa drogue impunément. Elle suivit donc Youcha qui, cette fois, emballée par cette découverte, prit un raccourci. Elles sortirent du boisé et piquèrent à travers la savane. Plus elles avançaient, plus la jeune Voltaine ralentissait. Elle respirait avec difficulté et suait à grosses gouttes. Elle finit par s'appuyer sur un rocher afin de reprendre son souffle.

— Qu'est-ce que tu as ? demanda Lori-Lune. Tu es toute blême.

Les yeux de son amie se remplirent de larmes.

— Je n'y arriverai pas... J'ai... mal...

Le corps de Youcha glissa le long du rocher et s'affala sur le sol. Lori-Lune se précipita vers elle.

— Youcha ! Youcha ! Qu'est-ce qui t'arrive ?

La Voltaine, évanouie, ne lui répondit pas. Lori-Lune scruta rapidement les alentours à la recherche d'un coin d'ombre. Elle agrippa sa compagne par les épaules et la traîna sous un petit arbre. Puis, comme elle n'était plus très loin du collège, elle partit au pas de course pour y quérir de l'aide. Là, elle entra en trombe dans le bureau des enseignants, même si l'endroit était strictement interdit aux élèves.

— Vite ! Aidez-moi ! Youcha a perdu connaissance, dehors !

Plusieurs regards courroucés se tournèrent vers elle. N'y prêtant aucune attention, elle répéta ce qu'elle venait de dire. Monsieur Mirfak se leva d'un bond.

— Où est-elle ?

— Tout près d'ici, dans la savane.

— Je vous suis. Madame Klauk, s'il vous plaît, faites envoyer une ambulance !

Lori-Lune reprit sa course, suivie du professeur Mirfak. Quelques minutes plus tard, essoufflé, l'enseignant se penchait sur la jeune Voltaine. Il vérifia son pouls, souleva ses paupières pour examiner ses yeux et lui tâta le cou sous les oreilles.

— Elle n'aurait pas dû sortir par une telle chaleur, murmura-t-il, mécontent.

Il fut interrompu par l'arrivée de l'ambulance. On installa Youcha sur une civière pour la conduire aussitôt à l'infirmerie. Juste avant de fermer la porte de l'ambulance derrière lui, monsieur Mirfak ordonna à Lori-Lune :

— Vous viendrez me voir dans mon laboratoire, tout de suite après le dernier cours.

Seule, debout dans la savane, la jeune fille regarda l'engin volant s'éloigner. Rongée d'inquiétude pour son amie, elle en avait presque oublié les affaires illégales de Grafour. Comment allait-elle annoncer à maître Éonas ce qu'elle avait découvert avec Youcha ? Maintenant que cette dernière était inconsciente, Lori-Lune avait peu de chance de convaincre le principal que le hasard avait joué pour elle. Pendant un instant, elle pensa qu'il serait préférable de ne rien dire tant que

Youcha ne serait pas en état de parler. Puis elle songea que la guérison de son amie pourrait prendre du temps, trop de temps. C'était maintenant qu'il fallait mettre un frein aux activités de Grafour.

Prenant son courage à deux mains, elle se rendit au bureau du principal. Elle frappa à la porte et attendit. Quand maître Éonas lui ouvrit, elle dit :

— J'ai quelque chose d'important à vous révéler.

Le principal l'invita à s'asseoir et l'écouta attentivement. Elle raconta ce qu'elle avait vu dans la forêt, ainsi que le malaise qui accablait Youcha. Maître Éonas lui posa quelques questions, puis resta silencieux un long moment. Ses yeux sévères posés sur Lori-Lune, il pesait le pour et le contre. Puis, il actionna son communicateur.

— Madame Klauk ? Ici, Éonas. J'aimerais que vous sortiez la liste de tous les étudiants qui ont donné leur nom pour participer à la course des Voltrons, cette année. Ensuite, vous me convoquerez tous ces jeunes dans la grande salle pendant la deuxième période, cet après-midi. Je vous expliquerai plus tard de quoi il retourne. Merci.

Il tapota de nouveau son communicateur et s'adressa cette fois au professeur Mirfak.

— Venez à mon bureau, dès que vous le pourrez ! J'ai des informations supplémentaires sur le fellarah. Merci.

Il reporta enfin son attention sur Lori-Lune.

— Mademoiselle Taïko, je me vois contraint de vous garder sous surveillance jusqu'à la deuxième période. Je ne veux pas que vous alliez rapporter à tous les étudiants ce que vous avez surpris. Allez vous asseoir dans le corridor et profitez-en pour étudier.

Il la congédia d'un geste de la main. Obéissante, Lori-Lune quitta le bureau. Elle prit place sur un banc et sortit son lecteur électronique de son étui. Les yeux rivés sur la dernière leçon d'histoire affichée sur l'écran, elle avait l'esprit ailleurs. Elle réfléchissait aux conséquences de la découverte des activités de Grafour. Tous ses clients, ou victimes, croyaient améliorer leurs performances en tant que pilotes. Pour y parvenir, il leur fallait d'abord respirer le fellarah, mais le timbre aussi jouait un rôle important. Selon le professeur Mirfak, le message inscrit sur le collant était à la fois une mise en garde contre la plante et un guide d'utilisation pour obtenir de meilleurs résultats.

Pour Grafour, il était relativement facile de trouver la plante, puisqu'elle poussait sur sa planète. Durant les dernières vacances, s'il était allé chez lui, il avait pu en ramasser et en rapporter dans ses bagages. Mais le timbre, où se l'était-il procuré ? Et comment pouvait-il avoir pris connaissance du message dans la langue des dragons ?

Elle leva les yeux en entendant des pas. Le professeur Mirfak s'avançait vers le bureau du principal. Il la regarda en secouant la tête et dit :

— Mademoiselle Taïko, j'espère que votre présence ici ne signifie pas que vous avez encore couru après des ennuis.

— Oh non ! Ce sont plutôt les ennuis qui courent après moi.

Le professeur sourit. Encouragée par cette attitude amicale, Lori-Lune demanda :

— Comment va Youcha ? A-t-elle repris conscience ?

— Son état n'est pas aussi grave que je l'avais d'abord cru. Elle a subi... un coup de chaleur. Un peu de repos et beaucoup d'eau fraîche et elle va s'en remettre. Heureusement que vous êtes venue me prévenir aussi rapidement. Vous pourrez aller la voir plus tard dans la soirée.

Il salua son étudiante et entra dans le bureau de maître Éonas. Au bout d'une dizaine de minutes, monsieur Mirfak en ressortit rapidement et s'éloigna à grands pas. Lori-Lune, inquiète, se demanda si cela était de bon ou de mauvais augure pour elle.

10

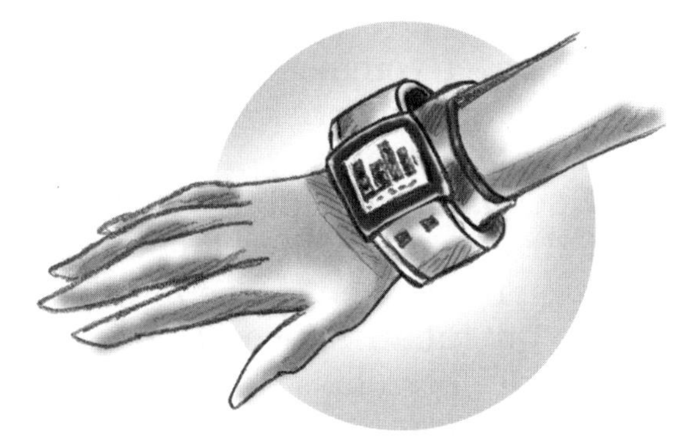

Le grand test

Tous les candidats à la course des Voltrons étaient réunis dans la grande salle. Madame Klauk avait regroupé les élèves selon leur niveau scolaire. Maître Éonas avait déjà expliqué que, pour des raisons de santé, les jeunes pilotes devaient passer un petit test médical. L'examen en soi était très simple, il suffisait d'enfiler un bracelet qui était relié à un appareil mesurant diverses fonctions biologiques. Les résultats s'affichant immédiatement, l'étudiant pouvait retourner aussitôt en classe si tout était normal. Si au contraire le tableau indiquait un problème, l'élève devait se rendre à l'infirmerie où l'on s'occuperait de lui.

Un à un, en commençant par les plus âgés, les jeunes se présentaient devant monsieur Mirfak qui présidait à l'opération. Il semblait satisfait de constater la rareté des cas problématiques. Il n'en trouva qu'un seul en classe terminale : Grafour qui fut aussitôt escorté jusqu'à l'infirmerie. Les classes supérieure et médiane obtinrent une note parfaite, puisqu'on n'y dénotait aucun cas. Dans la classe intermédiaire, trois élèves durent aller faire un tour à l'infirmerie, les trois mêmes que Lori-Lune avait vus avec Grafour dans la forêt. Deux étudiants de la classe des apprentis suivirent le même chemin.

Lorsque ce fut le tour de la classe préparatoire, Lori-Lune se mit à la queue du rang. Elle se doutait bien de ce que recherchait le professeur Mirfak. Seuls ceux qui avaient respiré le fellarah étaient mis de côté. La jeune fille ne craignait pas que l'on découvrît des traces de drogue dans son organisme, mais elle redoutait le test. Elle avait compris que l'appareil analysait le sang afin de vérifier si tout était normal. Mais justement, son sang à elle n'avait rien de normal. Avec un père Kénonien et une mère Kiribatienne, elle avait certainement un sang exceptionnel, pareil à nul autre être vivant de cette planète. Comment pourrait-elle expliquer cette anomalie ? Il lui était impossible de révéler qu'elle était l'Être élu qui devait aider le monde à évoluer. Personne ne la croirait. Elle-même y croyait à peine. Et si quelqu'un ajoutait foi à cette légende, comment réagirait-il ?

Lori-Lune était si absorbée dans ses pensées qu'elle ne prêtait aucune attention à ce qui se déroulait autour d'elle. Au fur et à mesure qu'elle s'approchait du professeur Mirfak qui s'était installé à côté du Bilbor, des signes d'agitation de plus en plus violents se manifestaient dans le tube de verre. Maître Éonas et madame Klauk, fascinés par ce phénomène, l'observaient de près. Monsieur Mirfak tentait de l'ignorer tout en poursuivant ses tests. Lorsque le tour de Lori-Lune arriva, aucun des camarades de sa classe n'avait obtenu un résultat positif et ils étaient tous retournés en classe.

— Mademoiselle Taïko, c'est à vous, dit Mirfak.

— Oui, monsieur.

Elle franchit les derniers pas qui la séparaient de l'enseignant et ce n'est qu'à cet instant qu'elle remarqua l'agitation du Bilbor. Elle s'immobilisa brusquement, puis recula un peu. Monsieur Mirfak tenta de la rassurer.

— N'ayez crainte, mademoiselle, je ne vous ferai aucun mal.

— Ce n'est pas vous qui m'effrayez monsieur, mais le Bilbor. Il semble en colère. Pourrait-on s'en éloigner un peu ?

L'enseignant jeta un coup d'œil au tube de verre et acquiesça.

— D'accord, venez par ici.

Il se déplaça vers le fond de la salle. Lori-Lune le suivit de près et le Bilbor ralentit considérablement son activité. Madame Klauk et maître Éonas notaient les moindres variations de comportement de l'appareil. Pendant ce temps, monsieur Mirfak glissa le bracelet autour du poignet de Lori-Lune. Les sourcils froncés, il examina attentivement les résultats.

— Ne bougez pas! Je vais recommencer.

Lori-Lune se sentait de plus en plus anxieuse. Le professeur reprit l'opération. Secouant la tête comme s'il ne comprenait pas ce qui se passait, il vérifiait encore et encore. Puis, relevant la tête, il scruta Lori-Lune de la tête aux pieds. Il regarda ensuite le Bilbor et de nouveau la jeune fille. Il lui retira le bracelet et annonça :

— Je ne trouve aucune trace de fellarah dans votre organisme. Par contre, votre analyse sanguine est... inusitée. Je ne suis pas tout à fait certain de ce que cela signifie, mais il faudrait peut-être que nous en reparlions tout à l'heure, à la fin du dernier cours. Je vous attendrai dans mon laboratoire. Maintenant, vous pouvez retourner en classe.

Lori-Lune quitta vivement la grande salle. Elle savait très bien que dès qu'elle n'y serait plus, le Bilbor se calmerait totalement. Elle se hâta de rejoindre sa classe. À sa grande surprise, elle aperçut Akryl et Gamir à leur place respective. Akryl lui sourit lorsqu'elle s'installa au pupitre à côté de lui. Il paraissait en pleine forme.

— Ça va mieux? chuchota Lori-Lune, en prenant soin de ne pas être entendue par le professeur Ménure.

— Il paraît que je suis complètement guéri, répondit Akryl sur le même ton. D'ailleurs, je ne sais même pas de quoi je souffrais.

— Tu ne sais pas ce qui t'est arrivé?

— Je me souviens seulement que je voulais participer à la course et que toi et moi, nous devions nous inscrire. Ensuite, pfft! plus rien.

— Tu as oublié presque deux mois de ta vie!

— Mademoiselle Taïko! gronda l'enseignant. Taisez-vous! Votre connaissance de la langue brimatienne étant nettement en dessous de la moyenne, je vous prierais d'écouter les explications plutôt que de bavarder avec votre voisin.

— Oui, monsieur.

Lori-Lune mit en marche son lecteur électronique et y inséra son jeton de cristal contenant le manuel de brimatien. Ayant été élevée sur Terre où la langue brimatienne était totalement inconnue, la jeune fille avait beaucoup de retard dans cette matière. Durant tout le reste de la période, elle s'appliqua, cherchant à comprendre et à mémoriser les notions de grammaire.

À la fin du cours, soulagée que ce soit enfin terminé, elle se tourna vers Akryl.

— Viens, je connais un endroit tranquille où nous pourrons parler à l'abri des indiscrets !

Elle entraîna son ami dans le grand hall d'entrée où les étudiants allaient rarement. Ils s'installèrent dans un coin, derrière la statue de Shogol, le fondateur du collège. Quand Lori-Lune fut certaine que personne ne pouvait les entendre, elle raconta à Akryl ce qui s'était passé durant les dernières semaines. Le Denebien l'écouta attentivement. Il ne mettait pas en doute la parole de son amie, mais il trouvait difficile d'accepter qu'il ait eu un tel comportement.

— Comment ai-je pu faire une telle chose ? Prendre de la drogue pour tricher ! Moi qui ai toujours pensé que c'était un comportement de lâche ! Je n'en reviens pas.

Pour lui remonter le moral, Lori-Lune hasarda une explication.

— Peut-être que tu ignorais que c'était une drogue. Grafour t'a peut-être présenté le fellarah comme étant un médicament ou... autre chose.

— Tu es bien gentille de vouloir prendre ma défense, mais je suis inexcusable. Je m'en veux d'avoir cédé à la tentation. Je m'en veux de t'avoir mise de côté et d'avoir accordé plus d'importance à cette course qu'à notre amitié. Tu dois m'en vouloir et tu as bien raison.

— Mais non, je ne t'en veux pas ! Qui peut se vanter d'être parfait et de ne jamais faire d'erreur ? S'il te plaît, fais-moi plaisir : oublie cette mésaventure et reviens à la case départ, c'est-à-dire comme nous étions avant cette course. J'ai besoin de ton amitié, parce que, pour moi, les problèmes ne font que commencer.

— Comment ça ? Qu'est-ce que je peux faire pour t'aider ?

— Me soutenir moralement. Je dois affronter monsieur Mirfak, madame Klauk et maître Éonas. Je me suis mise les pieds dans les plats en voulant à tout prix comprendre ce qui se passait.

— Mais puisque tes recherches ont aidé à découvrir la vérité, ils ne peuvent pas t'en vouloir.

Lori-Lune hocha la tête, pas très convaincue. Elle n'avait pas tout dit à son ami. Elle lui cachait ses craintes d'être identifiée comme l'Élue tant attendue. C'était son secret et elle avait l'impression de le traîner derrière elle tel un boulet. À part sa famille immédiate, nul n'était au courant. Sauf peut-être monsieur Mirfak !

— Akryl, je suis contente que nous soyons de nouveau des amis. Souhaite-moi bonne chance ! Mirfak m'attend dans son laboratoire. À tout à l'heure !

— Ne t'inquiète pas, tout ira bien. Je te garderai une place à la cafétéria.

Lori-Lune traversa le grand hall et ouvrit la porte menant au sous-sol, consciente que la discussion qu'elle allait avoir avec le professeur scellerait son destin.

Lorsqu'elle entra dans le laboratoire, monsieur Mirfak l'invita à prendre place sur un tabouret, seul siège de la pièce, mis à part le fauteuil où l'enseignant était déjà installé. Sur l'écran de son ordinateur s'affichaient des données, des chiffres et des informations auxquels la jeune fille ne comprenait rien. Le professeur posa ses coudes sur le bureau et appuya son menton sur ses poings. Il examina son écran, puis scruta son étudiante.

— Mademoiselle Taïko, dit-il enfin, vous êtes une personne plutôt... hors de l'ordinaire.

Lori-Lune retint son souffle en pensant, terrifiée : « Il sait tout ! Il va dévoiler mon secret à tout le monde. Je suis perdue. »

— Vous êtes perspicace, tenace et courageuse. Grâce à vos talents de détective, vous nous avez permis de mettre la main au collet d'un jeune homme sans scrupules. Grafour désirait se venger, car chaque année qu'il a essayé de participer à la course des Voltrons, il en a été éliminé dès les premiers jours. Il croyait se faire justice en droguant les autres candidats afin qu'ils soient éliminés à leur tour.

La jeune fille se remit à respirer normalement. Il n'était aucunement question de l'Être élu. Sur un ton aussi naturel que possible, elle demanda :

— Comment Grafour a-t-il pu se procurer autant de fellarah ? Et les timbres, où les a-t-il trouvés ?

— Cette plante pousse sur sa planète. Il a dû en cueillir lors de sa dernière visite chez lui. Pour ce qui est des timbres, Grafour affirme les avoir achetés sur sa planète à un charlatan lui ayant laissé croire que ça lui apporterait la victoire. Je ne sais où cet homme les a trouvés, mais de toute évidence cela n'a rien d'un produit miraculeux. Au contraire ! Ce collant stimule la partie du cerveau qui s'occupe de la créativité et de l'imaginaire, et donne des visions à celui qui y touche. Avec le fellarah, cela augmente l'impression d'être invincible. Malheureusement, ça pousse à en prendre toujours de plus en plus. Mais ce besoin cesse de lui-même après un certain temps sans en consommer.

— Et est-ce que Grafour vous a expliqué comment il s'y prenait pour que ses victimes acceptent sa drogue ?

— Il leur mentait, bien sûr ! Il leur faisait croire que c'était un médicament naturel qui les aiderait à éliminer leur stress et leur nervosité. Ensuite, il leur proposait d'essayer le timbre pour améliorer leurs performances. Plusieurs des candidats à la course ont tellement peur de ne pas être choisis, qu'ils éprouvent de la difficulté à dormir à cause de leur appréhension.

— Oh ! Je vois. C'est pour cela que Youcha fait tant de cauchemars.

Monsieur Mirfak secoua la tête et prit un air affligé.

— Le cas de Youcha est… différent. Je sais que vous êtes probablement la seule élève du collège à vous être liée d'amitié avec elle. Et de l'amitié, elle en a grandement besoin pour traverser cette épreuve.

Le professeur se tut un long moment, laissant l'imagination de Lori-Lune s'emballer. Qu'avait donc Youcha pour que monsieur Mirfak soit aussi triste ? Pourtant, aujourd'hui même, il lui avait dit que la jeune Voltaine allait mieux.

— Votre camarade souffre d'une grave maladie que seuls de rares Voltains développent dès leur naissance. À vrai dire, leur espérance de vie est très limitée.

Lori-Lune était atterrée. Jamais elle n'aurait pu croire une telle chose possible. Youcha était si vive et si enjouée.

— Alors, elle va… elle va mourir bientôt ?

— J'espère bien que non. Et j'y travaille activement. Dans les livres des dragons, écrits par les ancêtres de mon peuple, j'ai découvert qu'ils avaient de grandes connaissances en médecine. Ils arrivaient à soigner presque n'importe quelle maladie. Leur savoir provenait peut-être des Élus dont ils étaient les plus fidèles amis et collaborateurs. Présentement, je traduis leurs textes en sachant que cela pourra nous être utile. Et je mets en pratique ce que j'apprends. Les parents de Youcha ont accepté que je mène une expérience médicale sur leur fille. Jusqu'à présent les résultats sont très satisfaisants. Par contre, j'ai découvert qu'elle ne doit pas s'exposer au soleil comme elle le fait. Vous avez vu comment cela l'affectait, ce midi. Il lui sera donc impossible de participer à la course des Voltrons, puisque la piste n'est pas à l'abri des rayons du soleil.

— Elle doit être déçue. Elle se voyait déjà parmi les trois premiers. Elle rêvait tant de monter sur le podium.

— En effet, cela la chagrine beaucoup. C'est pourquoi je compte sur vous pour lui changer les idées. Il serait d'ailleurs préférable de ne pas lui dire ce que je vous ai révélé. Officiellement, elle ne peut pas participer à la course, car elle a eu un malaise et que cela pourrait se reproduire pendant l'épreuve.

— D'accord, je garderai son secret pour moi. Je vous le promets.

— J'en suis convaincu. Vous êtes une jeune fille capable de garder de lourds secrets.

Il posa sur elle un regard étrange, comme s'il cherchait à lui faire comprendre qu'il en savait long à son sujet. Lori-Lune garda le silence, car elle ne savait quoi répondre. Le professeur poursuivit :

— Vous m'avez dit l'autre nuit que vous désiriez devenir archéologue. Sur le coup, j'ai trouvé cela étonnant et farfelu. Les jeunes de votre âge envisagent rarement une telle voie pour leur future carrière. Cependant, j'y ai réfléchi et j'ai étudié minutieusement votre test médical...

« Il sait tout, c'est certain ! » songea Lori-Lune, de nouveau sur ses gardes.

— Si vous le souhaitez, je peux vous prendre comme assistante recherchiste pour le site archéologique que vous avez découvert. Évidemment, vous devrez apprendre la langue des dragons, ce qui est très difficile.

— Vous voulez vraiment que je vous aide ?

— Oui, je crois sincèrement que votre place est parmi les souvenirs des dragons. Vous en tirerez d'énormes profits et de grands avantages que vous seule êtes capable de juger à leur juste valeur. D'ailleurs en passant, ni moi ni personne n'avons besoin des résultats de vos tests médicaux. Vous êtes en excellente santé.

Il pivota vers son écran où il appuya à quelques endroits. Un message apparut : « Désirez-vous effacer ces informations ? » Le professeur posa son doigt sur le oui, et l'écran se vida de son contenu, laissant à la place une page blanche. Monsieur Mirfak fit un clin d'œil en direction de Lori-Lune. Elle comprit qu'elle avait un allié dans le collège et qu'elle pouvait compter sur sa discrétion.

— Monsieur Mirfak, est-ce que Youcha pourrait se joindre à moi pour les recherches archéologiques ? Après tout, nous avons découvert le site ensemble. Et ça l'aiderait à se changer les idées, à ne plus penser à la course.

— Je crains qu'elle n'y pense quand même en vous voyant y participer.

— Non, je vais aller voir madame Klauk et lui demander de retirer mon nom de la compétition.

— Mais pourquoi cela ?

— J'ai beaucoup réfléchi aujourd'hui. Je ne me suis inscrite que pour faire plaisir aux autres. D'abord à Akryl qui tenait absolument à tenter sa chance sur un Voltron, ensuite à mon père. Parce qu'il a été le plus grand champion de cette épreuve, je me sentais obligée de prendre part à la compétition afin de prouver que j'étais sa digne fille. C'est amusant de se promener en Voltron, mais je ne ressens pas le besoin de faire une course. Alors, je préfère laisser ma place à un autre candidat.

Le professeur hocha longuement la tête.

— Toutes mes félicitations ! Vous êtes une jeune personne capable d'affronter la réalité et de faire preuve de générosité. Alors, je vous attends demain midi pour entreprendre votre première leçon d'archéologie. Et je crois que Youcha sera suffisamment remise pour vous accompagner.

11

Et le gagnant est...

Assis dans un coin ombragé des estrades, Akryl, Youcha et Lori-Lune assistaient à la fin de la course. Sur les quinze participants, trois avaient déjà été éliminés lors d'une sortie de piste. Sept traînaient de la patte, loin derrière les cinq premiers. Parmi ceux-ci se trouvaient Yori et Poly. Même si madame

Klauk avait bel et bien découvert le gadget que Poly avait installé sur un Voltron, elle n'avait jamais trouvé qui était l'auteur de cette tricherie. Le cousin de Lori-Lune avait donc pu poursuivre son entraînement, mais sans aide illégale. D'ailleurs, il n'en avait pas besoin, puisqu'il était extrêmement doué pour le pilotage.

Dès le début du dernier tour, Poly appuya à fond sur ses commandes, cherchant à distancer ses adversaires. Yori, refusant de s'avouer vaincu, accéléra. Ils étaient nez à nez, comme soudés l'un à l'autre. Puis, on vit Yori prendre un peu d'avance, et un peu plus, et encore plus. Poly tentait de son mieux de le rejoindre, mais n'y parvenait pas. Les yeux rivés sur Yori, il n'aperçut pas une troisième concurrente qui gagnait du terrain derrière lui. Quelques instants plus tard, Yori franchit le premier la ligne d'arrivée. Tout de suite après, Poly traversa la ligne, suivi de près par une jeune kiribatienne.

Tandis que la foule criait et applaudissait cette victoire, Akryl se pencha vers Lori-Lune.

— Tu ne regrettes rien ? Tu pourrais être parmi eux.

— Je suis très heureuse comme je suis. Et puis, qu'est-ce qui est le plus important ? Gagner une course ou s'amuser avec les deux meilleurs amis du monde ? Allez, venez ! Allons féliciter les champions.

En quittant les estrades, suivie de ses copains, Lori-Lune se disait qu'elle était vraiment chanceuse. Ce qu'elle avait souhaité ardemment s'était réalisé. Elle était entourée de gens sur qui elle pouvait compter pour mener à bien ses missions d'Être élu. Akryl était redevenu comme avant, chaleureux et compréhensif. Youcha démontrait une telle joie de vivre, malgré sa maladie, que Lori-Lune ne pouvait que sympathiser avec elle. Et le professeur Mirfak, sans le laisser paraître, la soutenait et la guidait en mettant ses connaissances à sa disposition.

Alors, que lui importait une petite course, quand le monde s'ouvrait à elle ?

Table des matières

Susanne Julien

Un nouveau livre, une nouvelle aventure! Voilà la devise de Susanne Julien. Depuis une vingtaine d'années, elle s'amuse à créer des personnages imaginaires hors du commun, tout en espérant que ses jeunes lecteurs les aimeront autant qu'elle. Un jour, elle court après des fées, le lendemain, elle invente des fantômes. Vraiment, il y en a pour tous les goûts!

Aujourd'hui, elle nous parle d'une jeune extraterrestre. Ce n'est pas étonnant puisque Susanne Julien est dans la lune depuis sa tendre enfance! Laissez l'auteure vous guider à la découverte du destin de Lori-Lune!

Derniers titres parus dans la
Collection Papillon

25. **Des matières dangereuses**
Clément Fontaine
26. **Togo**
Marie-Andrée et
Geneviève Mativat
27. **Marélie de la mer**
Linda Brousseau, Prix littéraire Desjardins 1994 (traduit en anglais et en italien)
28. **Roberval Kid et la ruée vers l'art**
Rémy Simard, Prix du livre de fiction de l'année 1994
29. **La licorne des neiges**
Claude D'Astous
30. **Pas de panique, Marcel !**
Hélène Gagnier
31. **Le retour du loup-garou**
Susanne Julien
32. **La petite nouvelle**
Ken Dolphin
33. **Mozarella**
Danielle Simard
34. **Moi, c'est Turquoise !**
Jean-François Somain
35. **Drôle d'héritage**
Michel Lavoie
36. **Xavier et ses pères**
Pierre Desrochers
37. **Minnie Bellavance, prise 2**
Dominique Giroux
38. **Ce n'est pas de ma faute !**
Linda Brousseau
39. **Le violon**
Thomas Allen
40. **À la belle étoile**
Marie-Andrée Clermont
41. **Le fil de l'histoire**
Hélène Gagnier
42. **Le sourire des mondes lointains**
Jean-François Somain
(traduit en japonais)
43. **Roseline Dodo**
Louise Lepire, finaliste au Prix littéraire Desjardins
44. **Le vrai père de Marélie**
Linda Brousseau
45. **Moi, mon père...**
Henriette Major
46. **La sécheuse cannibale**
Danielle Rochette
47. **Bruno et moi**
Jean-Michel Lienhardt
48. **Main dans la main**
Linda Brousseau
49. **Voyageur malgré lui**
Marie-Andrée Boucher Mativat
50. **Le mystère de la chambre 7**
Hélène Gagnier
51. **Moi, ma mère...**
Henriette Major
52. **Gloria**
Linda Brousseau
53. **Cendrillé**
Alain M. Bergeron
54. **Le palais d'Alkinoos**
Martine Valade
55. **Vent de panique**
Susanne Julien
56. **La garde-robe démoniaque**
Alain Langlois
57. **Fugues pour un somnambule**
Gaétan Chagnon
58. **Le Voleur masqué**
Mario Houle, finaliste au Prix du livre M. Christie 1999

59. **Les caprices du vent**
Josée Ouimet

60. **Serdarin des étoiles**
Laurent Chabin

61. **La tempête du siècle**
Angèle Delaunois

62. **L'autre vie de Noël Bouchard**
Hélène Gagnier, Prix littéraire Pierre-Tisseyre jeunesse 1998

63. **Les contes du calendrier**
Collectif de l'AEQJ

64. **Ladna et la bête**
Brigitte Purkhardt, mention d'excellence au Prix littéraire Pierre-Tisseyre jeunesse 1998

65. **Le collectionneur de vents**
Laurent Chabin

66. **Lune d'automne et autres contes**
André Lebugle, finaliste au Prix du livre M. Christie 2000

67. **Au clair du soleil**
Pierre Roy

68. **Comme sur des roulettes!**
Henriette Major

69. **Vladimirrr et compagnie**
Claudine Bertrand-Paradis, mention d'excellence au Prix littéraire Pierre-Tisseyre jeunesse 1998; Prix littéraire Le Droit 2000, catégorie jeunesse

70. **Le Matagoune**
Martine Valade

71. **Vas-y, princesse!**
Marie Page

72. **Le vampire et le Pierrot**
Henriette Major

73. **La Baie-James des «Pissenlit»**
Jean Béland

74. **Le huard au bec brisé**
Josée Ouimet

75. **Minnie Bellavance déménage**
Dominique Giroux

76. **Rude journée pour Robin**
Susanne Julien

77. **Fripouille**
Pierre Roy

78. **Verrue-Lente, consultante en maléfices**
Claire Daigneault

79. **La dernière nuit de l'*Empress of Ireland***
Josée Ouimet

80. **La vallée aux licornes**
Claude D'Astous

81. **La longue attente de Christophe**
Hélène Gagnier

82. **Opération Sasquatch**
Henriette Major

83. **Jacob Deux-Deux et le Vampire masqué**
Mordecai Richler

84. **Le meilleur ami du monde**
Laurent Chabin

85. **Robin et la vallée Perdue**
Susanne Julien

86. **Cigale, corbeau, fourmi et compagnie (30 fables)**
Guy Dessureault

87. **La fabrique de contes**
Christine Bonenfant

88. **Le mal des licornes**
Claude D'Astous

89. **Conrad, le gadousier**
Josée Ouimet

90. **Vent de folie sur Craquemou**
Lili Chartrand

91. **La folie du docteur Tulp**
Marie-Andrée Boucher Mativat et Daniel Mativat

92. **En avant, la musique!**
Henriette Major

93. **Le fil d'Ariane**
Jean-Pierre Dubé

94. **Charlie et les géants**
Alain M. Bergeron

95. **Snéfrou, le scribe**
Evelyne Gauthier

96. **Les fées d'Espezel**
Claude D'Astous

97. **La fête des fêtes**
Henriette Major

98. **Ma rencontre avec Twister**
Sylviane Thibault

99. **Les licornes noires**
Claude D'Astous

100. **À la folie !**
Dominique Tremblay

101. **Feuille de chou**
Hélène Cossette

102. **Le Chant des cloches**
Sonia K. Laflamme

103. **L'Odyssée des licornes**
Claude D'Astous

104. **Un bateau dans la savane**
Jean-Pierre Dubé

105. **Le fils de Bougainville**
Jean-Pierre Guillet

106. **Le grand feu**
Marie-Andrée Boucher Mativat

107. **Le dernier voyage de Qumak**
Geneviève Mativat

108. **Twister, mon chien détecteur**
Sylviane Thibault

109. **Souréal et le secret d'Augehym Ier**
Hélène Cossette

110. **Monsieur Patente Binouche**
Isabelle Girouard

111. **La fabrique de contes II**
Christine Bonenfant

112. **Snéfrou et la fête des dieux**
Evelyne Gauthier

113. **Pino, l'arbre aux secrets**
Cécile Gagnon

114. **L'appel des fées**
Claude D'Astous

115. **La fille du Soleil**
Andrée-Anne Gratton

116. **Le secret du château de la Bourdaisière**
Josée Ouimet

117. **La fabrique de contes III**
Christine Bonenfant

118. **Cauchemar à Patati-Patata**
Isabelle Girouard

119. **Tiens bon, Twister !**
Sylviane Thibault

120. **Coup monté au lac Argenté**
Diane Noiseux

121. **Sombre complot au temple d'Amon-Râ**
Evelyne Gauthier

122. **Le garçon qui n'existait plus**
Fredrick D'Anterny

123. **La forêt invisible**
Fredrick D'Anterny

124. **Le prince de la musique**
Fredrick D'Anterny

125. **La cabane dans l'arbre**
Henriette Major

126. **Le monde du Lac-en-Ciel**
Jean-Pierre Guillet

127. **Panique au Salon du livre**
Fredrick D'Anterny

128. **Les malheurs de Pierre-Olivier**
Lyne Vanier

129. **Je n'ai jamais vu un Noir aussi noir**
Claudine Paquet

130. **Les soucis de Zachary**
Sylviane Thibault

131. **Des élections sucrées**
Isabelle Girouard

132. **Pas de retraite pour Twister**
Sylviane Thibault

133. **Les voleurs d'eau**
Fredrick D'Anterny

134. **La tour enchantée**
Fredrick D'Anterny

135. **Noël de peur**
Fredrick D'Anterny

136. **Valeria et la note bleue**
Diane Vadeboncoeur

137. **Ariane et les abeilles meurtrières**
Jean-Pierre Dubé

138. **Lori-Lune et le secret de Polichinelle**
Susanne Julien

139. **Lori-Lune et l'ordre des Dragons**
Susanne Julien

140. **Lori-Lune et la course des Voltrons**
Susanne Julien